FLORAL

CONTEMPORARY

［英］奥利维尔·杜邦 著
金 言 译

花艺的复兴

全球38位设计师的灵感与杰作

華中科技大學出版社
http://www.hustp.com
中国·武汉

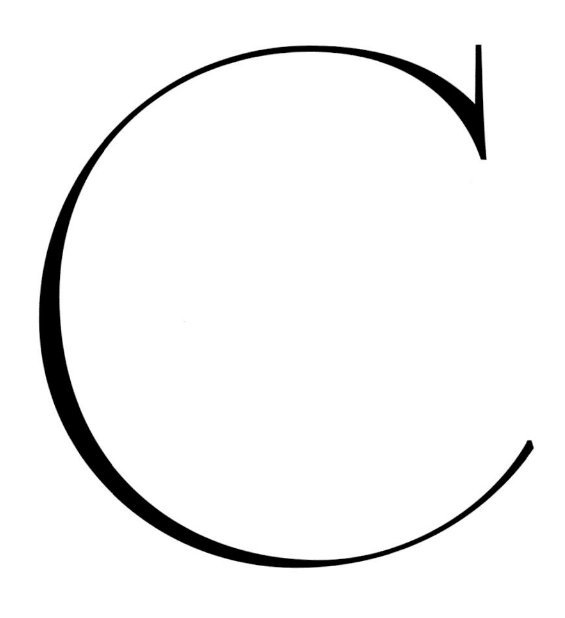

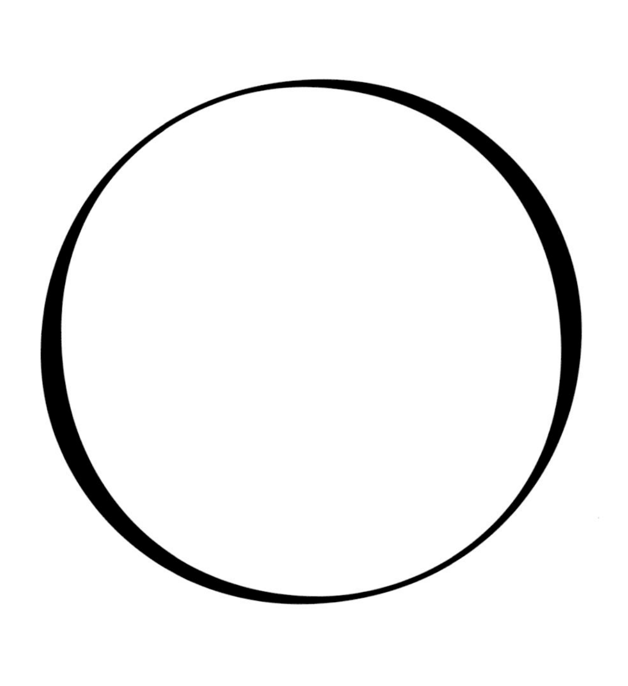

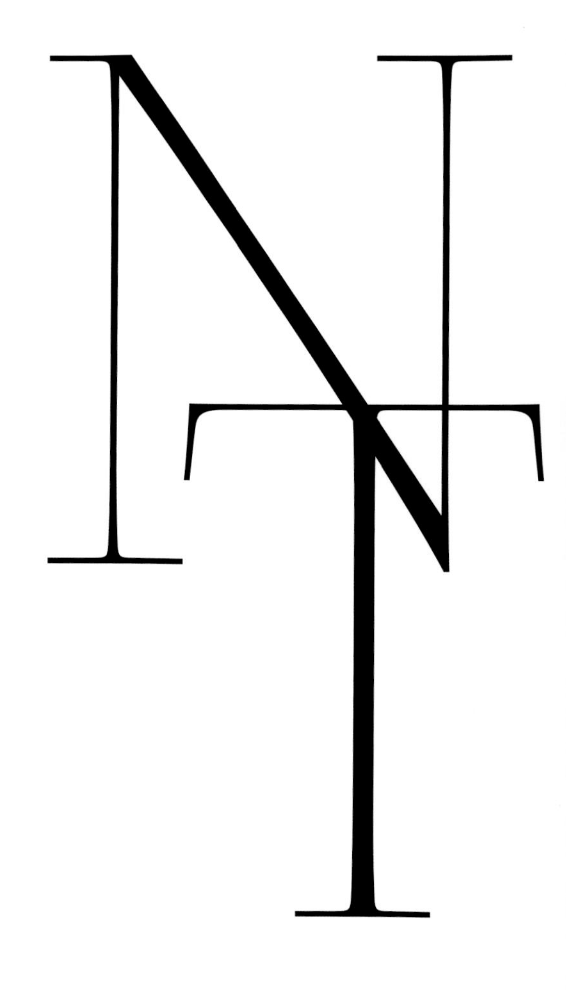

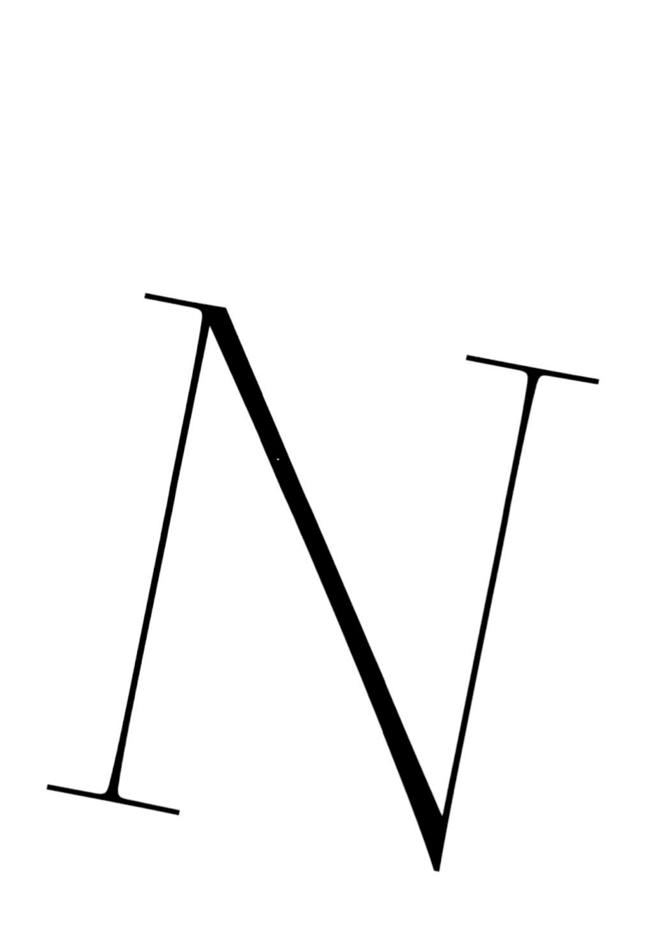

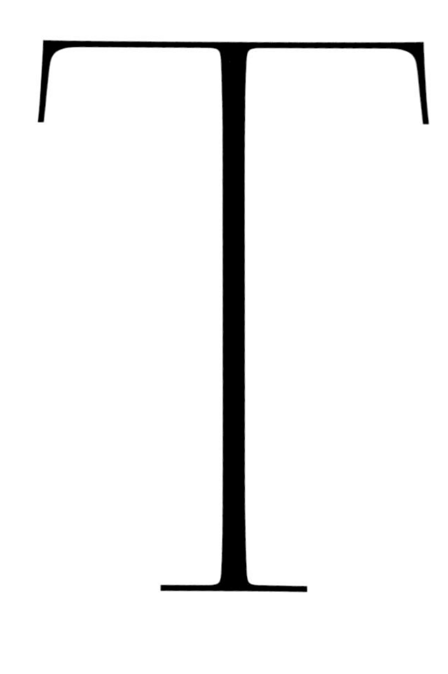

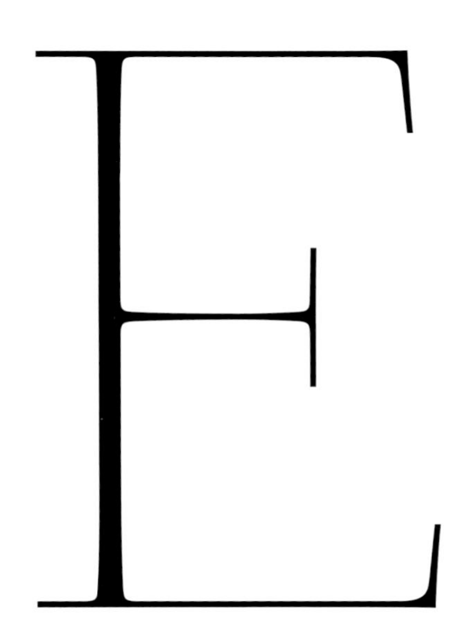

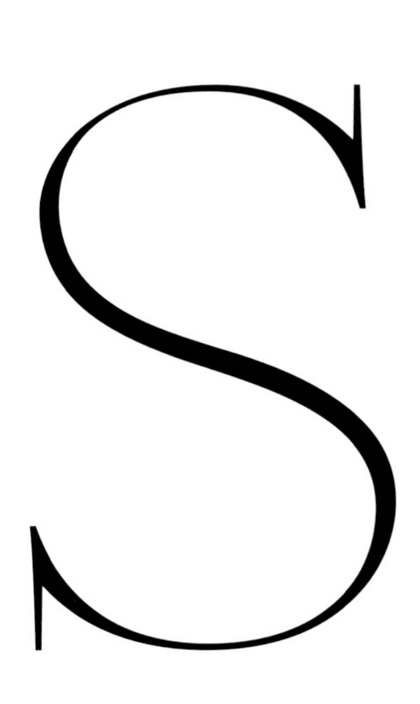

INTRODUCTION
简介

无论是庆祝还是纪念，在重大场合总少不了鲜花的点缀。但如果要提升生活品质，我们应该每天都与鲜花相伴。鲜花虽静，却能活跃我们的感官，反映每一种心情。

在所有行业中，花卉行业一定是最特别的。我还记得当我在纽约大都会博物馆看到杨·布鲁盖尔（Jan Brueghel）的那幅一篮鲜花的油画所呈现出来的奢华时那种陶醉的心情。

关注着如今，花卉行业的复兴——无数年轻的园艺师们正追求探索着那种荷兰大师鉴定认证的传世名作——是特别喜悦的。和中世纪末期盛行的那种鲜花水果静物油画相比，如今的花卉艺术，“鲜花”早就脱离了鲜花原本的具象，带给了我们无限的艺术。

我相信“静物”一词——英语用“Still life”（直译为“持续的命”）一词正确地捕捉了本质，而法语的“nature morte”（直译为“死亡的自然”）在静物画这种庆祝生命的图像里就显得尤为奇怪。盛开的花朵在画里始终保持鲜艳，不像采摘下的花朵，生命注定变得短暂——这确实是一个必要的珍惜当下的人生提醒。谁能抗拒鲜花的内在美呢？鲜花的美就是大自然完美的证明。如果拥抱另一种美——死亡，伟大的遗嘱也基于“鲜花几乎是永远美丽的事物”这个事实。

只需粗略翻看此书，您也能确定真正的花卉艺术是非常严肃努力的作品。而不仅仅是“花粉和毛茸茸的花瓣”，或者是专属于女性的东西。长久以来，绝大多数花艺设计师都面对着身体的艰辛和销售的低迷。但还有什么比使用活的原料来从事的创作更值得尊敬的呢？

在写这本书的时候，我很高兴地发现越来越多的花卉艺术家拥有了稳定的原料来源，这带动了分销商和当地花农的成长。一些花艺师甚至管理着他们自己的花田。可绝大多数花艺师，仍然没有自己的鲜花提供源。尽管他们可以从花卉原产国购买，但这会对当地生态平衡产生冲击。所以当策划一场婚礼或聚会时，我们最好坚持从附近的花农处购买鲜花。

我的另一个发现是，与泾渭分明的国家地域差异相反，全世界同种的鲜花都越来越相似。一些支持者们自发地做起了相同的设计。更高兴的是，一些设计师逆着潮流，在沿着自己的创意之路前行探索，以完全独特的方式布置鲜花。

这本书是从花卉艺术家的角度出发，以作为向他们充满灵性的作品致意。你既不会从本书中找到关于如何编排花卉的方法提示，也不会发现对各种花卉百科全书般的信息进行介绍。本书首先是对一些当代伟大花卉制作者的展示。需要说明的是，当代花卉艺术家有各式各样，从传统主义者，乡村风格爱好者到概念艺术家，应有尽有。联系起设计师们的是每个设计师的诗意的花卉雕刻，每个作品都是绚丽的鲜活雕塑。

创作此书已经使我受到了影响。每周我都要冲到当地最好的花店，和花艺师交谈，询问花的名字，体验鲜花绽放的美丽。我想你会和我一样激动万分！

ALEKSANDRA SCHUTZ
阿莱克珊德拉·舒茨

澳大利亚

“每个作品，不管大小如何，复杂与否，都加深了我对鲜花的热爱，并且，没有什么能比亲自创造出反映自然之美的作品更让我激动的了。未来，我更希望做一些基于植物的作品，我还很少接触植物，想看看我的创造力如何驾驭它们。”

家族传统和外来文化的碰撞，命中注定会给阿莱克珊德拉的人生奠定与众不同的基调。阿莱克珊德拉·舒茨全家从拉脱维亚移民到澳洲。在新的国家，他们以农业为生，种植康乃馨、大丽花以及番茄。“我们以前经常庆祝拉脱维亚的节日。在夏至日，我们会穿上戴拉脱维亚传统服饰，戴手工花冠，用橡树叶子装饰客厅。”阿莱克珊德拉回顾道，“我父母也拥有一块苗圃，用于批发外销。在孩提时代，我们经常在栀子花和银桦林间奔跑穿梭，享受着美丽的夏日茉莉花香。每周日我们的祖父母会带着一束从他们花园采摘的鲜花来我们家。生日时，他们会带科林格，这是一种拉脱维亚传统的用山茶花装饰的生日蛋糕。”尽管如此，阿莱克珊德拉那时从未想过将来要从事花艺工作。她的第一份工作在一家叫“恐龙设计”的家居用品和珠宝店。“我在那里跟随大师学习手工制作，协助他们从事着各种非常纤细和触觉敏感的工作。我日以继夜地布置着作品，尝试着各种不同的色彩、造型和材质的搭配。”几年后，一个朋友将她引入花艺之路。然后她加入了由澳大利亚著名花艺设计师萨斯基亚·哈沃克斯（Sakia Havekes）创立的“玉兰”花艺工作室。“我会永远感恩‘玉兰’团队，感谢我在‘玉兰’工作的经验和美好回忆。”她说，“其他地方不可能像‘玉兰’那样，能给你那么多创作机会让你学习花卉的知识，以及插花布局的美感。不管是超大型的场景布置，还是最小的一束花的设计，都使我从中提升了创造力，一件又一件的作品也使我提升了知名度。”在“玉兰”工作了七年后，她创办了她自己安谧静修的工作室——“棚”。“夏天，我们会在屋顶上展示两株非常美丽的桃色燕子花！”这些花都是就地取材，她还因此跟当地的花农培养了深厚的友谊。“他们不时会送我们一些新品种”，始终保持热情和踏实的阿莱克珊德拉绝对是任何花艺作品的理想合作伙伴。

www.aleksandra.com.au

“我经常会在我的作品中铺一层香花。春天我会用七里香和麝香豌豆花，夏天我会用栀子花和晚香玉。每当阵风吹过，魔力的清香总会让您记起那些特殊的时刻。我作品的支架都是我亲手做的。”

“《四季》是一本介绍全世界艺术家、作家、设计师、摄影师、厨师等各种创作者的杂志。该杂志社曾在悉尼的一座叫‘Something for Jess’的古典雅致的咖啡厅里举办过一场迎春花艺餐会。不管是从路边、街角、后院或田野采摘而来，参会的每一个客人都需要带花或植物入场，并献给与会的其他嘉宾。我带去了我的当季最爱：当地种植的美丽芬芳的花园玫瑰，自家种植的蜘蛛菊，以及一些甜美的长寿花。”

“每当我在工作中产生一个新的创意时，我就会立刻修剪、摆放起来，直到最终布置成型。花艺设计师需要知晓什么时候停下，知道什么时候成型比知道怎么开始做更难。”

“为一对新人——尼古拉和达尔文在悉尼Lindsay House酒店举办的婚礼而设计的作品。新娘的手捧花用了澳大利亚特有的鲜花，比如珊瑚粉色的特洛皮花、法兰绒花、朱顶红和一小撮毛拉花，用天鹅绒和亚麻布的绸带做包装。桌上摆着各种罐子或花瓶，放着各种奇妙的春天姿态：一枝一枝的，一簇一簇的，抑或一朵一朵的罂粟、法国郁金香、鸢尾、金合欢、双桃水仙、仙客来以及其他不知名的花朵。”

“这是由珠宝收藏家萨曼莎·威尔士(Samantha Wills)和插画家凯莉·史密斯(Kelly Smith)在悉尼举办的‘十二宫’珠宝影像展,我们承接了为空旷苍白的一号厅画廊布置花艺店的工作。我们的花艺设计包括了一座花艺秋千,鲜花摇曳,围绕中心伸展,用于会展上威尔士女士签名灯的背景。而倒地铃、文竹、羽衣甘蓝、秋海棠、风铃草、洋桔梗、蝴蝶兰以及木兰花的树枝雕刻在房间中央。”

“重要的是,我喜欢处理色彩。我认为色彩是庆典仪式感的一种共鸣。我既欣赏单色的纯洁,也喜欢多种对比色的质感。”

“右页的花艺是为The Tate@The Toxteth的发布会设计的,该活动由悉尼当地的设计顾问Zed & Bee举办。每个参展商都布置了小的展台展示其作品和才华。我在场地中央挂了一座花园秋千,以增加会场的仪式感,用到了一些夏天开的鲜花,比如珊瑚牡丹、月季、绣球,来糅合成像意式冰激凌一样的颜色。”

AMY MERRICK
艾米·梅里克

美国

不久前，如果你在宾夕法尼亚州的朗伍德公园里散步，会经常遇到一个小女孩在公园里认真地捡花。“我父母不许我摘花，但允许我捡地上的花，所以我经常捡了一口袋地上的玫瑰花瓣，然后把它们涂在脸上揉。”这就是为什么艾米·梅里克如今仍然觉得采花是她设计创作过程中最喜欢的一步，也解释了为什么她对香水如此着迷。“我的梦想是做一名香料设计师，所以我在花艺创作中布置鲜花时，同样很注意香味的位置。”她透露道。艾米大学读的是时装设计，她说：“我认为服装设计对于色彩比例的知识同样适用于布置鲜花。”艾米第一份工作就是在一个花店工作。而那时，她就认为她一辈子都会从事花艺了。“我无法想象没有花朵陪伴我过冬的日子。我不可能住在像纽约那样完全与大自然隔绝的大都会里。花卉市场每周出新品。通过花开花落来感受大自然的变化和时间的流逝，没有什么比这更激动的了。”艾米从2009年开始成为一个独立的职业花艺师。她对花卉的布置很有天赋。对野生植物，比如一束黑莓的刺，十分感兴趣。同时她也始终保持着一颗节制简约的心。有些人认为她的作品很古朴；所有人都认为这是种浪漫。艾米还很喜欢在她那拥有两百年历史的家庭农场里上课。“看到上课的学生们在花园里采摘下花朵，以初学者的眼光布置，让我很受鼓舞。因为他们不知道花艺‘通常’怎样算做完，所以反过来说，这也提供给他们更多的空间去天马行空。”艾米思索着，“一些人曾说过，我的作品能给他们以全新的方式去看待大自然。学生们现在能注意到他们上班路上的鲜花和树的改变。让人们了解季节的微妙之处使我无比高兴。”

www.amymerrick.com

“作为一名道具设计师真的磨练了我的平衡感，而在古董店的工作帮助我收集了大量的花卉书籍和花瓶！”

“在挑选前，我喜欢在花卉市场先逛一个小时。只有当我想出一个各方面都可行的方案时，我才能开始构思具体布局。然后我去制作每一个模块，试图去抓住色彩和动感。编排花卉的创意好似捕风捉影。”

“我认为我从未完成过一件完美的作品；我喜欢在差一点达到‘完美’时停下来。一些我最喜欢的作品实际上在十五分钟内就完成了。有时候我返工了一遍又一遍，那就说明这不是一个好方案。最主要的是，我喜欢把花编排得看上去好像从花瓶中呼之欲出般鲜活，带点自然的狂野，而又是克制和柔和的。”

ANDREAS VERHEIJEN
安德利亚斯·沃尔海延

荷兰

当安德利亚斯·沃尔海延接受了来自乌拉圭玫瑰花协会的邀请，来举办一个他的插花作品展时，他很快意识到要获取这些鲜花原材料是个不小的挑战。因为他抵达蒙得维的亚（乌拉圭首都）时，正好是当地一年中最热最干旱的时候。当地花田的花几乎都被晒枯萎了，再要进口购买又很困难。最终，他找到一个卖花的老奶奶，向她订购了一百支白色的麝香百合。可偏偏不凑巧，就在展会的当天早上，老奶奶违约了。“当举办方问我进度时，我直接对她说，我没有花！”安德利亚斯回顾道：“她说，她可以去问问一些参展方有没有带一些白百合……当我回到展会大厅，我看到了十几株。而这已经是玫瑰花协会的所有人问遍了她们认识的所有人最终能够给我的了。”安德利亚斯的人生阅历丰富多彩。作为一个世界一流的花卉艺术家，安德利亚斯将他的花卉艺术知识和从孩提时代起始终如一的园艺热情洒满全世界。“我小时候经常把自家花园里的植物挖出来移到其他地方。我父母并不希望我这么做。最后他们在花园里开辟了一小块空间，并给了我一些钱去买种子。”他出生的小村津德尔特每年都会举办大丽花节。“我父亲是花车的主要制造商。所以当我在初中时，我就设计了我的第一个作品——‘天鹅湖’，随后几年做了其他越来越多的作品”。难怪在安德利亚斯的早起作品中，我们可以欣赏到他那无穷无尽的想象力。但事业的成功光有想象力是不够的。正如他所说，“和这些鲜花打交道是个非常细致的工作。你不仅需要非常有条不紊地操作，还需要具备沟通能力，以及组织、规划甚至是会计能力。更主要的是，你需要在巨大的压力下保持冷静。”作为一名出类拔萃的“鲜花工程师”，安德利亚斯无疑具有上述全部优点。

www.andreasverheijen.com

“这座花墙是为艺术设计交流展——沙龙1号创作的。这个展会的地点遍布阿姆斯特丹市中心的各个角落。我的花墙被放在了时尚潮牌凯美·妮特的橱窗里。这组鲜花主要是由杂交荷兰菊组成的。”

“这个《转基因杂交》系列园艺作品集是由国际潮流时尚杂志《Provider》赞助的。我设计的原意是要启发其他普通的设计师们。我‘解剖’了一整株植物并且重新组装成新的‘杂交’品种。这与其说是做一个广泛新物种的园艺尝试，我更希望这个作品集能被视为广义的形状、色彩和纹理的实验，而不仅仅是鲜花工业下的一个制成品。”

“在艺术学院学习，以及毕业后的艺术创作经历使我对艺术的视野更加开阔。我经常将我的园艺比作‘生命的绘画’。一个从事园艺工作的人一定需要了解解剖学和图像比例学，如果你没有学过这些，你一定不能轻轻松松地创造出你自己对生命之美的演绎。”

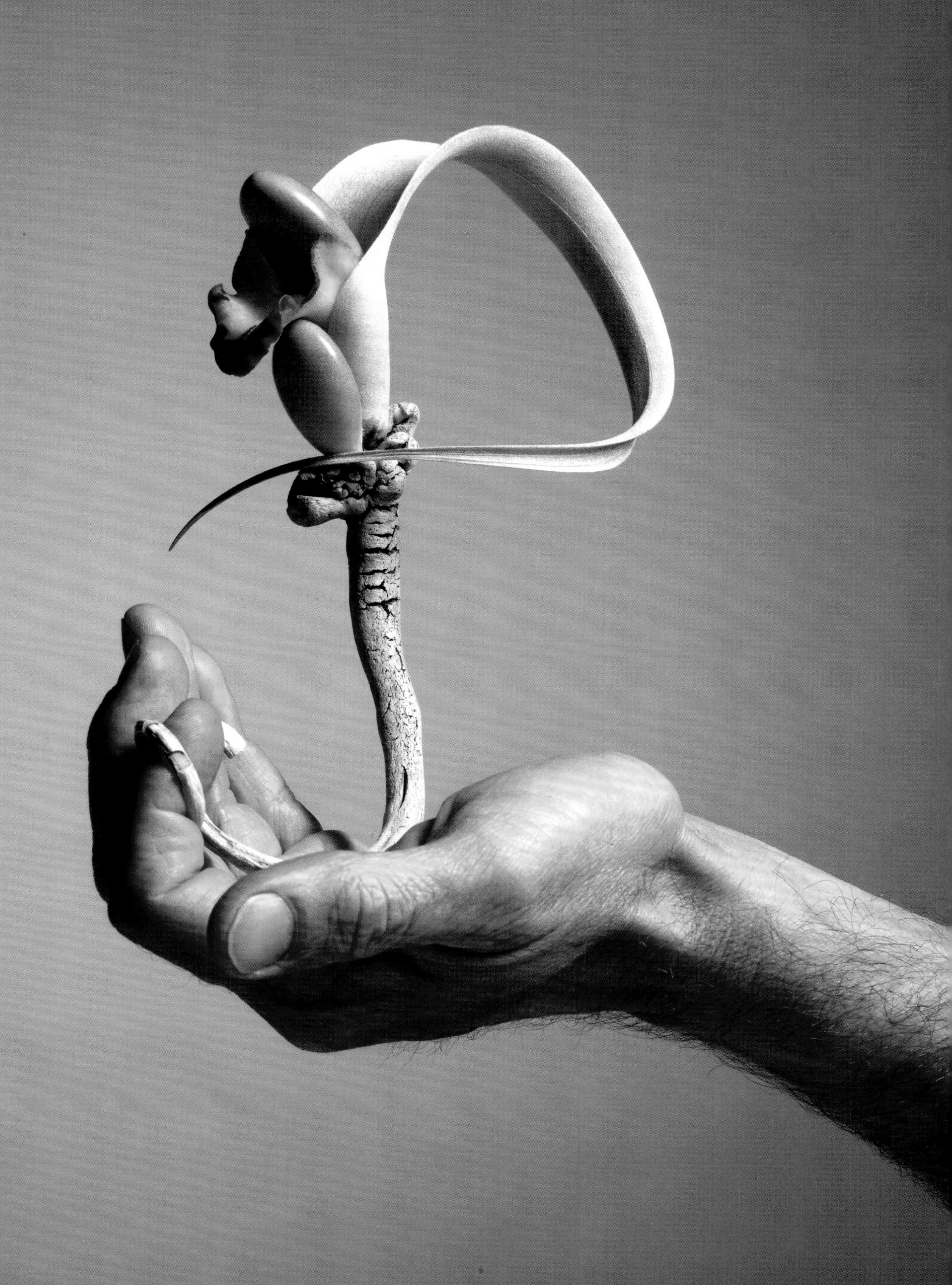

“《第七系列》——2013年ArtEZ毕业生时装设计作品展的封面——由安纳姆时装系主任马希斯·伯埃里（Matthijs Boelee）赞助并进行艺术指导，路易斯·佩尔（Louise te Poele）摄影。主题是个体与夸张色彩和纹理的联系。设计灵感来源于非洲部族的装饰物。”

ANNA DAY & ELLIE JAUNCEY THE FLOWER APPRECIATION SOCIETY

安娜·戴伊和艾莉·乔恩西：花卉鉴赏协会

英国

要加入花卉鉴赏协会，虽然你不需要是行业精英或者做一些神秘的“宣誓”，但这个协会目前仍是由典型的英国人组成的。联合创始人安娜·戴伊和艾莉·乔恩西用“只采摘花园里的花朵”就可以变出迷人的插花艺术。两人都有其他工作——艾莉经营着自己的针织品店，而安娜是一个助产士——所以这个协会在她们心中占有特殊地位。“我们是在酒吧里相遇的”，两人解释道。安娜当时在上插花课，而艾莉当时在放暑假，回威尔士的家帮妈妈（也是一个花匠）布置一场婚礼。在酒吧举行的婚礼是她们的第一次相遇，她们很快意识到彼此有着相似的审美观。“然后我们问酒保，我们是否能为他们提供每周的花艺。有了收益之后，我们买了台相机，然后就想一起去建一个网站。这个‘花卉鉴赏协会’就是这么近乎意外地逐渐建立起来了。”这对组合一边搜集着古董花瓶、花壶，一边创作着各式各样的非正式花艺设计。她们尝试使用英国产的鲜花和树叶，并对它们进行自然性的布置。“把钻石放在玫瑰花里的点子，让我们感动到想哭！”在一个没有店面的地方工作意味着不需要买过量的花朵堆积浪费。此外，艾莉和安娜还使用绿色肥料，并回收花卉包装。他们使用附近的熟食店提供的蔬菜盒子的废料来制作婚礼的胸花，用当地酒吧腌黄瓜的罐子来包裹花卉。这对组合创造了许多洋溢着欢乐和繁荣的作品，尤其以签名的花冠闻名于世。“在Port Eliot艺术节，我们花了整个下午，为艺术节的观众制作头饰。看到这些人都戴着我们的花冠，享受着艺术节，真是太美好啦！”花卉鉴赏协会在某种程度上唤醒了一个维多利亚时代的欢愉，解放了我们的幸福享受。

www.theflowerappreciationsociety.co.uk

“对页图的陶瓷天鹅花瓶中插放着玫瑰、麝香豌豆花、绣球花、八仙花等。此页上粉彩华丽的纸箱里装着法国郁金香、绣球花、八仙、大丽花、多头月季和麝香豌豆花。”

“我们的梦想是与当地的园丁合作，希望他们能为我们种植花卉。此外，蜜蜂会喜欢我们的花，因此我们可以生产‘花卉鉴赏协会’牌蜂蜜！”

“左上图是个‘不同寻常’的花冠，是由绣球、轮峰菊、六出花和蓟组成的。左下的果酱瓶里装着的婚礼鲜花，由月季，羽衣草、薄荷、牡丹花和麝香豌豆花组成。上面的大贝壳花瓶装了几乎所有花！包括野生麝香豌豆花、轮峰菊、毛地黄、牡丹花、飞燕草、绣球、婆婆纳和山毛榉等。”

“我们尽量利用当地的花朵，而不用舶来花。我们尽可能使设计贴近原生态和自然。对我们来说，整洁或对称是一定不会在我们的作品中出现的。”

“左上是一个粉彩的伴娘花束，包括银莲花、麝香豌豆花、水仙、丁香花和陆莲花。左下是绛紫色的新娘花束，用月季、星芹、铁线莲、麝香豌豆和牡丹组合而成。此页上是一个插满牡丹、黑种草、大丽花、麝香豌豆花的老式搪瓷花罐。”

ARIEL DEARIE
ARIEL DEARIE FLOWERS

艾瑞尔·戴瑞：艾瑞尔·戴瑞同名花展

美国

当我们想到那些彰显着荷兰静物大师天赋的花卉作品时，我们会想起艾瑞尔·戴瑞的名字。这位来自纽约布鲁克林的设计师谈论起她的作品时，就好像画家来描述他们的艺术："当使用大量的色彩时，掌握色彩理论是至关重要的。"事实上，装饰派艺术和新艺术主义的绘画与挂毯是艾瑞尔灵感的主要来源；同样也来源于她格调高贵的家乡。"我在新奥尔良长大——一个长满杂草、郁郁葱葱的城市；我们的后院就像一片蛮荒的丛林。这肯定仍是我至今工作中最持久的影响之一。"艾瑞尔最初是学商业的。"我从十六岁开始就打算开一家面包咖啡馆。为了不忘初心，我曾在布鲁克林的绿点区经营Five Leaves餐厅——这是一段帮助我学习组织能力和多任务管理的经历。"现在专职做一个花艺设计师，艾瑞尔通过创造自然主义的植物造型来传达无穷的魅力。艾瑞尔专长于设计自由流动的造型——"我想让鲜花在空气和空间中呼吸是非常重要的"——她从精简中提取繁华，通过一次选择三四种精心挑选的元素，来创造出奢华的印象。"季节总是在变化，所以总有源源不断的新花可以使用。"她补充说，"我对稍纵即逝的美丽有着强烈的执迷。这使它的生命更特别。我也爱死亡的花朵，我发现一些花朵在当它枯萎或褪色的时候更美丽。"注视着艾瑞尔精致的作品，不禁觉得它们是和谐、宁静的最佳体现。

www.arieldearieflowers.com

Flora Domestica
FLOWER DECORATION

"我倾向于坚持柔和的色调和油彩，混合着许多有趣的绿叶。我也喜欢融合非花元素，例如水果和蔬菜，甚至鸟和鸟巢！"

“左图是为长岛北福克的一个婚礼做的。我们用了惊艳的淡黄色牡丹、海枣和杜鹃花。上图是为一个印第安婚礼而设计的，我们设计了浅色基调，古铜色的容器中装着花毛茛、婆婆纳、小苍兰和茉莉。”

“左上图的作品是为一个印地安婚礼而做的。我们用了大量的暖色和亮色，包括这些火红的牡丹和金盏花。右上图的作品我们用各种各样的小古董玻璃花瓶装满了花毛茛、银莲、杜鹃和杂色天竺葵的叶子，全都保持着相同的色调。左下图我们做了一个早春花艺设计搭配着月季、蔸葵、茉莉和杜鹃。虽然简单，却是我的最爱。右下图是一个假日晚餐餐桌的布置。我们用金秋梨叶、月季、花毛茛、银莲和石榴。右图我们用了一些从城外采摘来的非常惊艳的连翘花。每枝的颜色从紫红到金、绿不等，搭配着洋桔梗和柿花。”

“我很享受与鲜花共度的时光。每次，我都单纯地去尝试放大一朵花最美丽的特征，无论是它的茎、颜色或形状。”

AZUMA MAKOTO
东信康仁
日本

“当我把不同种类的植物组合在一起时，我会试着仔细听每一个声音。我强烈地坚信我的工作一直在跟神圣的东西和生命本身打交道。花儿本来就是美丽而珍贵的，正如它们在大自然中的样子一样。尊重每一朵花并感受到它的尊严是很重要的。”

东信康仁的花艺哲学基石，包括对鲜花生命力的奉献，对朝生暮死的舍离，以及对鲜花与周围环境交互的绝对领悟。这位荣誉退休的艺术家既是一个花语者，也是一个植物和谐的先知。他超凡脱俗的作品是实验性的，但总受到世人尊重。他说：“为了捕捉植物的美丽，拥有坚定的信念比遵守自然规则更重要。只要我有这种精神，我就真的相信植物能回应我。”东信康仁原本在大学攻读法律，但他把所有的时间都花在摇滚乐队演奏上。他回忆说：“我意识到音乐和鲜花有许多相似之处。它们既是短暂的，又是与生俱来，独一无二的。而且，正如每一朵红玫瑰都有不同的性格，每个声音都会因为演奏者的心理和环境状态而不同。”东信康仁的使命是刺激每一株植物的内在表现，把它们潜在的美激发出来。十五年内，他对工作的看法几乎没有任何改变。但现在，他更喜欢用根植物搭配切花，并设计更大规模的项目，如一些大型景观。“我经常使用植物的自然造型和人工造型相结合的技法，以强调植物的美感和新生命形态的跃迁。”作为现代化的笃行者，东信康仁说道，“科技对我的作品的重要性主要有两点。首先，它能让我取得某些原来只能在特定地方生长的植物。其次，当我想把植物变成艺术时，科技能支持我的一些创意。例如，如果我想在混凝土上种植苔藓，那么我就需要特殊的设备来保持它的潮湿。我们必须接受这样一件事实：跟我们活在现代一样，植物也生活在现代，科学技术可以带给我们了解植物的便利。所以，无视科学技术是毫无意义的。”怀揣着对“充满激情，渴望随时绽放”的植物的向往，东信康仁的花艺作品满溢着渴望绽放的雄心，和与大自然的对抗。

www.azumamakoto.com

“《一式》——在金属框架内的一棵松树吊在半空中——是我的一款成名作。这是我的实验系列的第一款作品。该系列致力于寻求一种美学的新概念，即通过‘拘禁’一棵松树——把自然之美的象征——转换到一个方框之中，以表达规则之美。美即在自然和人工束缚的冲突之中迸发出来。而观众也被这种植物的生死观所深深吸引。”

“我使用非传统的方法，因为我试图激发植物的美丽和神秘感。有时我会处理得特别激进，有时则选择处理得更简单。”

“‘鱼花’系列旨在通过综合鱼和花两种美丽的生命形态来确定一种新的美的概念。这些花被布置在一个装满游鱼的水槽里面，让鱼和花朵共生。我选择了同一种颜色的元素：两种生活形式共同构成了静止和运动的综合体。”

“为了制作《瓶花》系列，我把绽放的鲜花放在装有水的瓶中。久置后，鲜花渐渐腐烂，花瓣渗出的花色素在水中呈现出不可思议的美感。观众可以目睹在封装瓶中鲜花的整个生命周期的演变。”

“这些‘可折叠树叶’展示了树叶构造的新形式。成千上万的叶子被折叠起来，各自被摆放在相应的位置。由人类的双手重新布置过的绿叶的鲜活和转变冲击着观众的视觉。这就是植物所拥有的原始力量，这些绿叶的碎片被提升到近乎超自然的形态。”

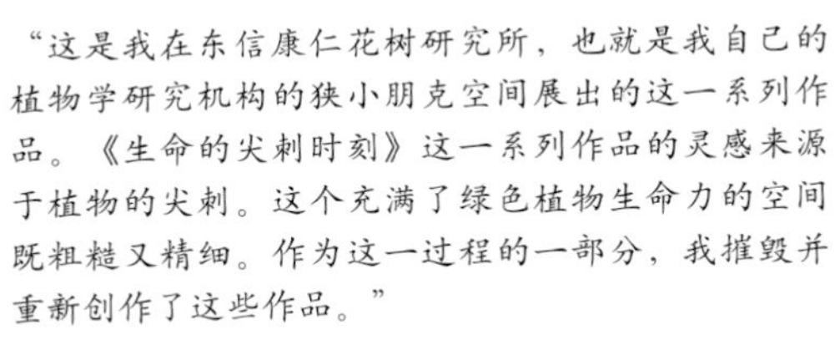

“这是我在东信康仁花树研究所，也就是我自己的植物学研究机构的狭小朋克空间展出的这一系列作品。《生命的尖刺时刻》这一系列作品的灵感来源于植物的尖刺。这个充满了绿色植物生命力的空间既粗糙又精细。作为这一过程的一部分，我摧毁并重新创作了这些作品。”

“将爪哇苔的树叶摆成曲线优美的圆柏树枯木形状，然后浸泡在水里，就创造出了这款新型盆栽。盆栽的形状通常会随着时间的流逝而变形，现在把它浸在水中则会生长得更快。我们能够见证和欣赏水型盆栽这种新生命形态的诞生。”

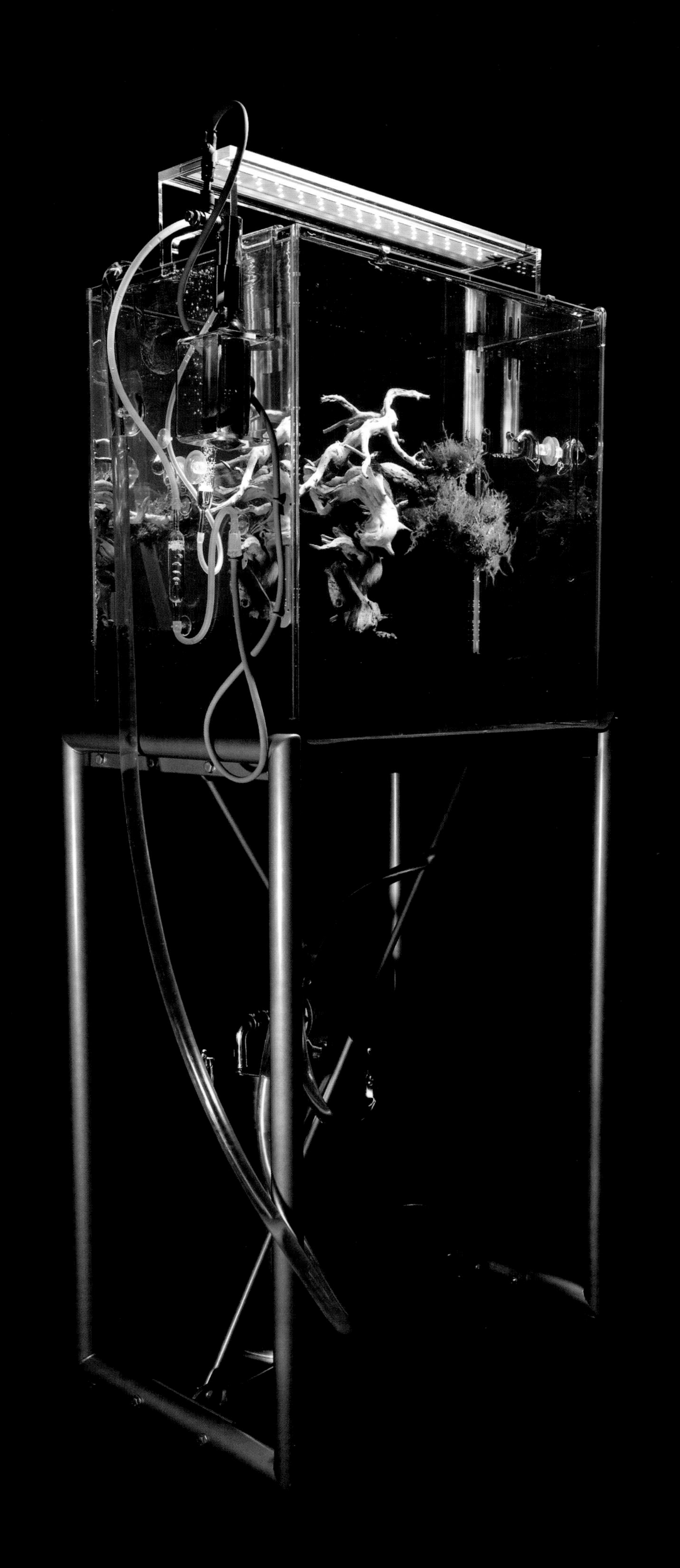

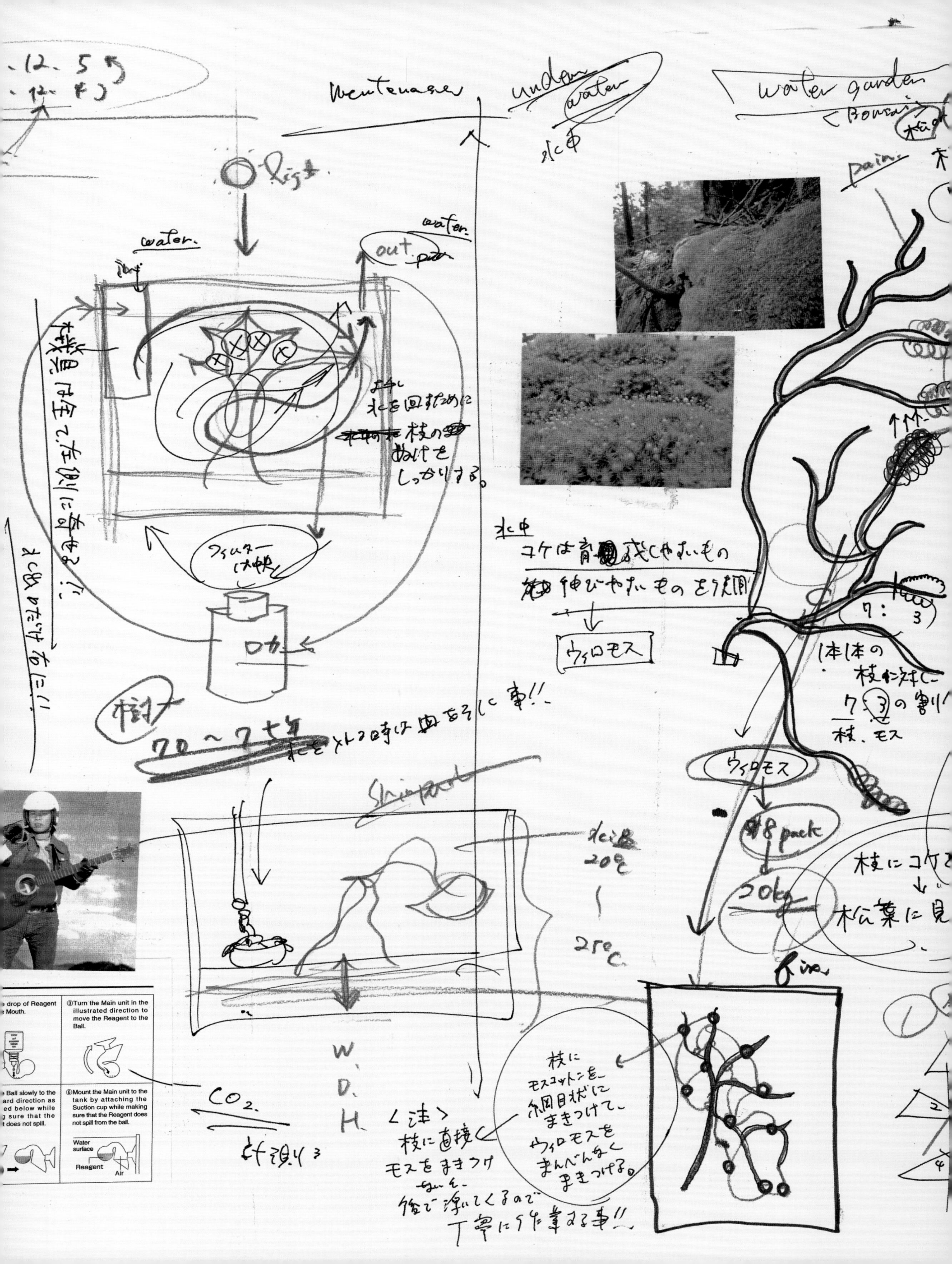

under water
water garden
<Bonsai>
水中
water.
out.
上手く
水を回すために
枝の
ぬけを
しっかりする。
フィルター
ロカ
水中
コケは育成しやすいもの
伸びやすいものを使用
ウィロモス
事!!
1本体の
枝に対し
7:3の割合
枝、モス
7:3
ウィロモス
#8 pack
20kg
枝にコケを
松の葉に見
水温
20℃
25℃
W.
D.
H.
CO2.
計測する
<法>
枝に直接
モスをまきつけ
浮いてくるので
丁寧に作業する事!!
枝に
モスコットンを
網目状に
まきつけて、
ウィロモスを
まんべんなく
まきつける。
e drop of Reagent
e Mouth.
③Turn the Main unit in the illustrated direction to move the Reagent to the Ball.
e Ball slowly to the
ard direction as
ed below while
g sure that the
t does not spill.
⑥Mount the Main unit to the tank by attaching the Suction cup while making sure that the Reagent does not spill from the ball.
Water surface
Reagent
Air

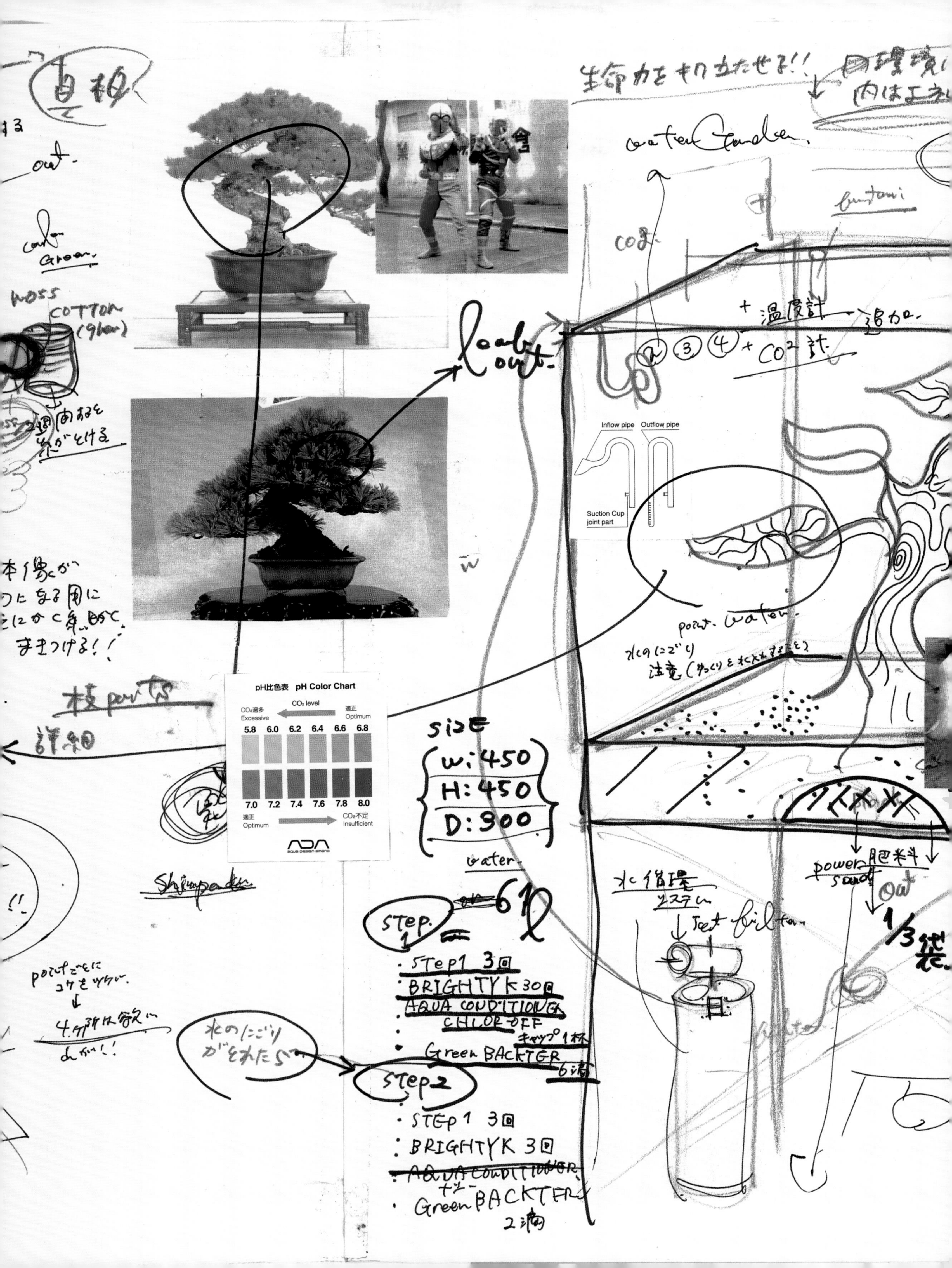

生命力を引き立たせる!!
look out
+温度計 追加
+CO_2計
Inflow pipe
Outflow pipe
Suction Cup joint part
point water
pH比色表 pH Color Chart
CO_2 level
CO_2過多 Excessive
適正 Optimum
5.8 6.0 6.2 6.4 6.6 6.8
7.0 7.2 7.4 7.6 7.8 8.0
適正 Optimum
CO_2不足 Insufficient
ADA
aqua design amano
枝 parts
詳細
SIZE
W:450
H:450
D:900
water
6ℓ
STEP.1
・STEP1 3回
・BRIGHTY K 30回
・AQUA CONDITIONER CHLOR-OFF
キャップ1杯
・Green BACKTER
6滴
水のにごりがとれたら
STEP2
・STEP1 3回
・BRIGHTY K 3回
・AQUA CONDITIONER
・Green BACKTER
2滴
水循環システム
power sand
肥料
out
1/3袋

BAPTISTE PITOU
巴普蒂斯特·比图
法国

这是位编排了许多辉煌壮丽景观的法国花卉大师——在高田贤三二十五周年典礼上，他用青苔和红罂粟雕刻成大象；在圣罗兰三十周年高级女装展上，他在巴士底歌剧院布置了成千上万朵百合；以及后来，在该公司创始人圣劳伦斯先生的葬礼上用四百五十捆麦穗缝制了他的棺材——迅速宣布他只是个不起眼的小红人。这种谦卑正是巴普蒂斯特·比图的伟大之处。“我是一个孤儿，从小被奥特学徒机构收养”，他解释道，“我十五岁成为一个花匠。当我说我想开始工作时，丹尼尔神父不太高兴，因为他为确保我得到足够的教育而做了所有的努力。他是我的榜样，我继承了他对诗歌的热情，他的极端完美主义和他创造性的天赋。”巴普蒂斯特和许多杰出的顾客建立了长期的合作关系，来装饰他们的家和设计他们的活动。他监督所有文华东方巴黎酒店的所有花景布置，他还在巴黎Sèvres街的爱马仕精品店里，设有自己的神圣花角。在他看似浅显的花卉布置下掩盖着的是他那极其精细的美学结构。这位高端的艺术大师把自己比作吸墨纸，总是沉浸在强烈的感官刺激中，经常被感动得流泪。你经常会听到他的顾客这样的评论：“在一次婚礼上，有人曾经说过我的作品代表了一个真实的童话故事。在一次葬礼上，一位客人沉思道：‘你的花太漂亮了，甚至让死亡都变得有意义。’另一位顾客，刚刚买了我的一束乡村花束，大声说：‘（此花之美足以）不用去买乡村的别墅了！’”巴普蒂斯特在巴黎的公寓是一个自然保护区，总是布满鲜花，他的内院点缀着月桂、玫瑰花丛、茉莉花树、一座喷泉、镜子和沙砾地板。巴普蒂斯特有的天赋，使优雅带给所能之物、所到之处。

www.baptistefleur.com

“这是为瓦勒里城堡制作的花艺景观。瓦勒里城堡位于巴黎以南九十六千米左右处。在该城堡举办婚礼的这对幸福的夫妇是一个美国人和一个法国女人，他们希望他们的婚礼别致而浪漫，就好像法式城堡一样。当时村里的教堂不能使用，我建议我们自己建一个教堂，以及婚礼所用的走廊和祭坛。我们用到了嵌着满天星和绣球花的展板与花盒，环绕着的绿叶行成不同的形状加以区分。最后六个人花了一天半的时间进行布置，最终效果赏心悦目，整个气氛浪漫至极。”

“我负责为巴黎文华东方酒店布置所有花卉景观。每周，我们都会用鲜花为客户讲述一个新的故事。也就是说，从正门，到大堂，再穿过到花园，我们都会设计一种花景风格，宛如沿着乡间小路漫步。为了这个装置，我们搭建了一面将近四米高的镜子，镜子上插嵌着一千朵鲜花。每周我们的花卉造型都会根据花的不同而变化。种类包括嘉兰百合（花群）和兰花（的背面）。”

“我喜欢只使用一种花，特别是满天星。当千花怒放时，这种花的表现力最好。”

“这场在莫里安瓦修道院举办的婚礼，夫妻俩想装饰出农村‘破旧别致’的风格。我们在祭坛上的美第奇花瓶里装饰了大量的满天星，以映衬修道院石造建筑的色调。还用满天星编织的花球悬挂在绸带上作为婚礼的花束。我们还用橡树枝做了一条长凳，让这对夫妇可以在婚礼期间坐在一起。修道院的大门是由满天星装饰而成的大拱门。我们只装饰了几处地方，但都做得很华丽。”

“对于花景的布置安装，我与客户密切沟通。当你为他们准备好这一切，交付给他们的时候，没有什么能比在他们开启开关的那一刻，瞬间的情感迸发更让人喜悦的了。”

“这对夫妇选择了巨大的烛台桌，配上熏香的伊芙伯爵玫瑰、麝香豌豆、轮峰菊、薄荷叶和软羽衣草作为装饰。在天花板上，我们吊起一个同样花饰设计的花冠。在公园里，我们挂着五百盏LED白灯笼，夜幕降临时，这些灯笼像月亮般明亮。”

“我的布置散发出柔和的诗意，毫不做作。我的风格，要我自己说的话就是‘优雅、简练和野性’。”

“一个客户要求我撤下一盆落叶凋零、业已枯萎的多肉梦椿。回到工作室，我看到它美丽的根系，于是决定在其上面添加一些黑紫相间的万代兰。我把它命名为《鲸鱼和星辰》（对页图）。对于《千面之镜》（左上图），我用了两个荆棘环捆着一束阿瓦兰契（一个世界知名花店）的白玫瑰。我爱它的简单和纯粹，效果总是很好。《金纽扣》（右图）我用了山龙眼和珊瑚薄柱草，因为我一直受到神秘的海洋的启发。《银羽衣》（左下图）我用华丽的金属线捆住了一束由万代兰、花烛和银莲花籽组成的新娘手捧花束。我把它们绑成一把剑的形状，寓意以后没有人敢偷新郎！”

“《牧羊人和女王》（左上图）我想做一个深色调的主题，因此用了黑色大丽花和蕨类植物。然后，我用烧焦的塑料制成的环来渲染基调。《在湖面上》（左下图）的灵感来自于某天我在湖边小憩，醒来时看到的焰红色的夕阳映在草地上。我立刻为当时的情景画了副草图，作为在我的工作室重建场景的草稿。我用了康乃馨和鸢尾叶，并用狗舌草打了个结。《享乐主义者的愉悦》（右图）里的郁金香在一杯水中直立，而绣球花被修剪成一只花瓶围绕在周围。”

对于这个奇幻盆景《流离东方》（对页上图），我从著名的动物标本店——戴罗勒购置了一些蝴蝶标本，摆出一个蝴蝶振翅飞过马蹄莲的造型。对于《王朝统一》（对页下图），我们用了如一滩清水般柔软的三重草，配合着婆娑的康乃馨树叶，以营造一种花束蒸腾而去的意境。

“亲手布置插花是我的设计特点——开放、多彩、轻盈。每一朵花都有着空间与自由，看起来像是在飞翔。有了这种不同层次的变化，不管从哪个角度看，你总能看到一些新的东西。这里的花大部分都是夏天开的，从当地的市场就可以买得到。”

BJÖRN KRONER

比昂·克朗

德国

在荷兰布莱斯韦克附近，有一个安祖花公司营运的花房，用来培育珍稀的火鹤花和蝴蝶兰。这些花被保护起来作为科学研究和繁殖培育使用。“我很幸运，在上海国际花艺锦标赛上能够一睹这些独特花卉的芳容。”这个比赛的花卉设计项目获奖者，格温堡大学花卉设计硕士毕业比昂·克朗，从二十三岁这个最年轻有潜力的年纪起，他就师从于彼得·阿斯曼（Peter Assmann）学习插花和花店经营。他在美国、日本和西班牙度过了接下来的两年，从事花卉创意开发、产品展示和教学工作。“这为我打开了一个全新的世界”，他说道。现在，比昂以用不同种类的花卉，在一个特定的色彩组中大面积地展示渐进的色调而广泛认可。比昂回忆道，“一个国际艺术界的好友曾经告诉我，我所做的是‘实用艺术’。这点我同意。”比昂也试图遵循他的导师莫妮卡·科诺普道奇（Monika Knoop-Tausch）的建议：“万物皆如流水。”“我确保我的花和色彩相融合，以凸显张力，但整体保持和谐。”比昂和莫妮卡也组织一些创意活动，如杰克逊·波洛克（Jackson Pollock）风格的油泼画或陶器制作。比昂特别喜欢从集体活动中获得灵感，“我会很高兴地把我所学到的东西传给下一代人”。在伦敦举办的2012届花卉节上，他的花艺作品获得了一致好评。如今的他已是《Fusion Flowers》杂志的特约撰稿人，最近游历了韩国和澳大利亚。他的下一个项目是“der grüne Tisch”（绿桌子）——一个多用途的空间。“比如，你可以在这个餐桌上享受晚餐，或者把它变成一个时装表演的舞台。一切想象皆有可能。”比昂的愿景是把在“花园”相关的活动进化成更高阶的、一种艺术与娱乐相融合的生活方式。

www.bjoernkroner.de

“这个创意是创造一个初看不会呈现全部景致的花艺设计，但每次你仔细看，都能发现新的花朵和纹理。”

“这是在瑞克林豪森，那里的人对我来说特别重要。我们用一般建筑师们才会用到的透明纸手工做了个花环。我把每张纸都涂上了不同的颜色，形成了一个彩色轮盘。然后把花环贴在一个丙烯酸环上，以使之固定。我选择了当季的主要花卉以适应每张纸相应的色调。我喜欢这种纸的材质纹理，喜欢它的毛边，以及它的颜色。这是一个非常轻巧和充满夏日风情的花艺设计。”

“我想以一些油泼画研讨会的色彩为拍摄背景。花瓶是由高档陶瓷生产商Fürstenberg制作的。我主要参与设计凸显花卉设计效果的盖子。我觉得将不同颜色的花卉装进这些通常情况下单独使用的花瓶形成一个组合会更有趣。花有峨眉蔷薇、敖德萨马蹄莲、罂粟、杂交牡丹、八仙花、杂交火炬花、黄栌和羽状鸡冠花等。”

“我喜欢结合我的技能，想出一些货架上买不到的新的东西。我用这个临时容器作为烧烤晚宴的桌面装饰。我在铁丝网上糊了层纸，然后一层一层地从浅到深地给它上色。这个主意是想要创造一个在自然环境中的有机容器，一种夏日花卉风情的感觉。我用夏日玫瑰、西番莲、王莲、高加索针垫花、纹上非洲菊、波斯菊和杂交绣球花来填满这个容器。”

“现在，我有幸能用各种各样的花和原材料来工作，但不管我用的植物是非凡稀有还是平淡无奇，我都喜欢坚持‘更少的东西带给人们更多的感悟’。毕竟这才是好的花艺作品的灵魂。”

“这个桌子是临时搭建的。我在角落里找到了一些彩绘的酒瓶，以及我在意大利买的粉色塑料杯。大部分的花都是夏季植物。我喜欢从当地花农那里购买。用时令花卉总是更好的选择。场景安排在一个美丽的夜晚，我与朋友分享我在生活中的激情。”

CARIS HAUGHAN & VANESSA PARTRIDGE PRUNELLA

凯利斯·霍恩和梵妮莎·帕特里奇：夏枯草

澳大利亚

进入位于凯恩顿安静的主街上的“夏枯草”的大门，就好像走进一个充满奇迹的花的衣柜。这满是绚丽绽放的花，配合玻璃穹顶、版画和其他新奇的事物，让爱花的人美得眩晕。这是同时搬到维多利亚乡下的两个女店主凯利斯·霍恩和梵妮莎·帕特里奇的充满巴洛克式想象风格的大门。她们谁都没有受过专业的花卉设计训练。“我们相遇了，我们共同的激情变得比我们两个人自己都重要。‘夏枯草’由此诞生了。”梵妮莎的背景是市场营销、公关和媒体，她创造了品牌，而凯利斯酒店管理专业的背景能保证客户的期望得到满足。夏枯草的招牌风格，有一点是明确的，就是这对店主倾其所有，毫无保留。“我们喜欢用大的东西来营造剧院级的氛围——巨大而有形的树枝、带刺的长茎玫瑰、多头绣球的花簇、形状别致的叶子、葡萄藤、竹子、生青的番茄、可回收的农业机械等。我们也接受客户委托在其花园里即兴创作。把外面的‘狂野’带进来是我们的动力。”这对店主白天则做着无佣金的创作梦，“为索菲亚·科波拉（Sofia Coppolo）的《绝代艳后》这样的电影做花艺设计。”这其实是一个听似不切实际，但却真实存在的——在墨尔本的四驾大篷车里举办的花艺设计大赛。“这是一个对创造力、后勤补给和协作能力的巨大挑战。我们必须有很大的计划，在极其苛刻的时间内，在每个赛程不同的主题区域内都设计并布置好我们的作品。只有我们两个人，而最终我们赢了！”“夏枯草”团队承诺要变成“以花为乐”的顾客们的顶级聚集地，所有与花相关的产品应有尽有：花艺工作室、快闪店，甚至是园林设计服务。这一对店主绝不会拿下桂冠就止步不前的。

www.prunella.com.au

“我们用大量的切割玻璃作为我们的布景，因为我们喜欢它的反光效果。在这种情况下，我们也受到了卡拉瓦乔（Caravaggio）的启发，他的绘画中总是有死去或腐烂的东西，因此我们想到了我们枯黄的叶子。这个设计也是关于流动的，你可以看到上面郁金香和胡萝卜花的曼妙曲线。”

“这些花是为了在维多利亚的比利牛斯的一个家庭举行的乡村婚礼而准备的。那里到处都是胡椒树，所以它们那纤细低垂的枝叶和浆果就成了我们这次花卉布景的特色。新娘也想要很多色彩而我们也非常乐意帮忙。我们用大丽花、玫瑰和金槌花演绎出了夏日的精彩。”

“在一个由旧红砖砌成的工业变电站举办的晚宴上，我们的客户想要一种流行的颜色和一些大胆的东西，而我们想用一些鲜活的绿色来柔化空间。我们最终决定安装这些吊着的树。我们选用了霓虹粉色的绳为晚宴增添流行色，并用这些绳五花大绑了树梢，像网一样。”

“对于花艺设计，我们有一个系统的方法，我们通过改变花景的大小来创造独创的，引人注目的设计。对于形状、色彩和平衡，我们遵循着最直观的规则。一旦开始搭建设施，我们总会自由发挥，即使事先进行了精心的准备。”

“这些设计是为在戴尔斯福德的一个美丽的婚礼而创作的。新娘最喜欢的颜色是绿色，她喜欢树叶和纹理（是我们这一类型的新娘！）。我们在该地区采摘了些季节性树叶，并加入刚刚变得有点老旧色彩的当地绣球花的纹理。我们还采购了一批当地产的意大利野玫瑰果，并且添加了一些奶黄色的月季，以完成整个布景。”

CLARISSE BÉRAUD
ATELIER VERTUMNE
克拉莉丝·碧劳：梵图妮工作室

法国

“花卉有能改变我们所有感官的能力，而这正是为什么我对他们总是如此热情的原因。我热爱我的工作，每当我快速地布置好花朵的时候，快速地微调好的时候，增强画面表现力的时候，我都难掩兴奋。”

你有没有想像过一个如此完美，如此自然，感觉从花瓶中呼之欲出的花景？这就是克拉莉丝·碧劳通过她的每一个作品试图传达的印象。不用说，她既是花匠，又是个诗人：“我面前有一张非凡的彩色图表……在我的手上有花型、花冠、果实、叶子、种子、萼片……每一个新的早晨都会带来一种新的花卉奇观……幸福不断地翻新。”克拉莉丝的外祖父有一个苗圃，她记得在她十二岁时，帮助她父母的朋友播种一些麝香豌豆时，她就决定要一辈子以花为生。十多年前——在跟着她的导师阿兰·西恩法哈尼（Alain Cianfarani）学习了五年之后——克拉莉丝在巴黎建立了自己的工作室。梵图妮工作室现在在高端花艺市场以苛刻的美学标准为私人和企业客户定制壮观的花景设计。克拉莉丝回忆道：“有一个特别的挑战任务，来自瑞士的一对夫妇要求在三周内布置完天方夜谭般的盛会，而瑞士这个国家限制所有的进口花卉。”同时，克拉莉丝也意识到，插花艺术应该被分享，并且是个很好的社会交际的机会。因此她推出了每周两小时的有偿工作室，其间，个人、私人团体和企业可以在工作人员的指导下，使用农庄新鲜的花卉创造出自己的花束。这彰显了工作室的务实品质，也解释了她那能创造出生机勃勃的花景而不牺牲易用性的不可思议的能力。她把绣球花作为她的“标签”，既因为她喜欢绣球的纹理，也因为她喜欢绣球的色彩表现。但她也有芳香型植物的强烈偏好，比如铁线莲、金银花和肥皂草。她也喜欢乡村品种包括海葵黄花、斗蓬草和一般的草。克拉莉丝的招牌风格揭示了花卉以尽可能最抒情、最和谐的方式展现出最美丽的一面。

www.atelier-vertumne.fr

“这是为一个电影主题的婚礼而制作的桌面花景项目。我跟场景设计师让-吕克·布莱（Jean-Luc Blais）合作，我们特意展示了用玻璃饰品塑形的容器——我们经常用这种容器来营造出诗意的氛围——搭配着粉香槟色的文竹和基于绣球、白色山茱萸、花楸、月季和苔藓制成的花艺布景。”

ANARD
D'OIGNONS
JULIENNE DE LÉGUMES
POMMES SAVOYARDES
DE CHAMPIGNONS
DES MARIÉS

"在巴黎Le Pré Catelan餐厅举办的Lenôtre印度夏季派对上（Lenôtre是Le Pré Catelan餐厅的母公司），我和让-吕克·布莱带来了《正方形广场》主题的花艺作品《接受的艺术》。我们的整个作品都是由大丽花组成的。"

“让我的作品很容易被欣赏，并使它和观众之间产生即时的情感联系是最重要的。当然，它一定得充满魅力。花的不可预测性是一种财富。它们不断地给我惊喜、魅力和愉悦。”

“这些作品是为2013年春夏时装趋势的新闻报道而创作的。让-吕克·布莱和我创建了一个《假想的晚餐》主题花展，营造出闺房般的氛围。悬挂着的布景是茉莉和银莲花。其他的布景由茉莉、绣线菊、绣球花、银莲花、桃树枝和月季组成。”

DAN TAKEDA
DAN TAKEDA FLOWER & DESIGN

武田团：
武田团花艺与设计工作室

新加坡

“我对模仿其他花卉艺术家所做的事毫无兴趣。成为别人的学徒非我所愿，我所为之奋斗的是要设计出一种与众不同的风格，这种风格只能追溯到我自己身上。”

一小方茂盛的青苔，一角搁着一朵单一的紫红色蝴蝶兰花朵，像一枚钉在垫子上的胸针，散发出简单和纯粹。这显然是“少即是多”的最明显的体现。毕竟武田团是日本人，插花哲学贯穿于他的理论。但他也可以陶醉于“越多越好”，就像一幅满是粉红色花朵的静物画。然而不管武田的作品是丰富还是简约，他的风格总是充溢着静谧。武田的风格是通过一种魅力，甚至可以说是虚幻的演绎驾驭着他的植物。“我希望通过我的作品来表达对大自然的感激之情，有时候甚至有点过度演绎了”，他承认道。他始终认为从事花艺工作是他的使命，但他毕业于神奈川大学的工业工程与管理系。二十四岁的时候，他在东京一家知名花店做兼职，最终掌握了自己的技艺并开始成立了以自己名字命名的花卉品牌。2008年，他移民到了新加坡，并在那里创立了他的企业——武田团鲜花与设计有限公司，一直生活工作至今。他设计的花束光鲜优雅，其高品质量一下子吸引了各路奢侈品企业的客户，包括了香奈儿、路易·威登和古驰，这些品牌都全权委托他装饰自己在新加坡的精品店。他还通过他的网店向私人客户提供订制花卉装饰。武田的风格，洋溢着古典与嘻哈混合的青春气息，正如他最爱的音乐家Nujabes的风格那样。他喜欢把自己读到的美学视觉与传统和风美学带给求之若渴的顾客。“我最近应邀举办了一场纯和风的花展，有多达五百多观众。这对我来说是第一次，紧张到让人感到恐慌，但同时，我也很高兴能给这么多观众留下正面的印象。事实上，让人快乐对我来说是至关重要的。我希望，以后有一天我能去缅甸，去那里的孤儿院，教孩子们关于鲜花的知识。”现在，武田团正专注于开辟一个新的婚庆鲜花设计业务。“希望这有助于进一步磨砺我的风格，使我朝着知名花卉艺术家的方向更进一步。”

www.dantakeda.com

“我从日本京都寺庙的花园里得到了这种设计的灵感。那家历史悠久的寺庙布局十分雅致，有着一种独特的美。当我试着用插花的方式来呈现的时候，我最终想出了这一套方案，包括蛇草、洋桔梗、鲜苔、火鹤、绣球、大花蕙兰、菊花、苋菜、过山猫、山茶叶、起绒草和一年生缎花。”

“我想通过这种布局来充分利用每一朵鲜花的个性，并且让观众以新的眼光看待花朵。在现代艺术的启发下，我想出了这种让花看起来像一件艺术品的想法。我用到了独尾草、飞燕草和荚蒾。”

“这部作品是受绘画启发制作而成。它旨在做出油画般的花艺作品，我用到了百合、玫瑰、牡丹、多头月季和马蹄莲等。”

“这部作品的主题是童心。食虫植物和鲜花毫无交集。而把它们放在一起就成了一件艺术品。我想看到当人们看到食虫植物夹花时那愕然的表情。这件作品主要用的是非洲紫罗兰和捕蝇草。”

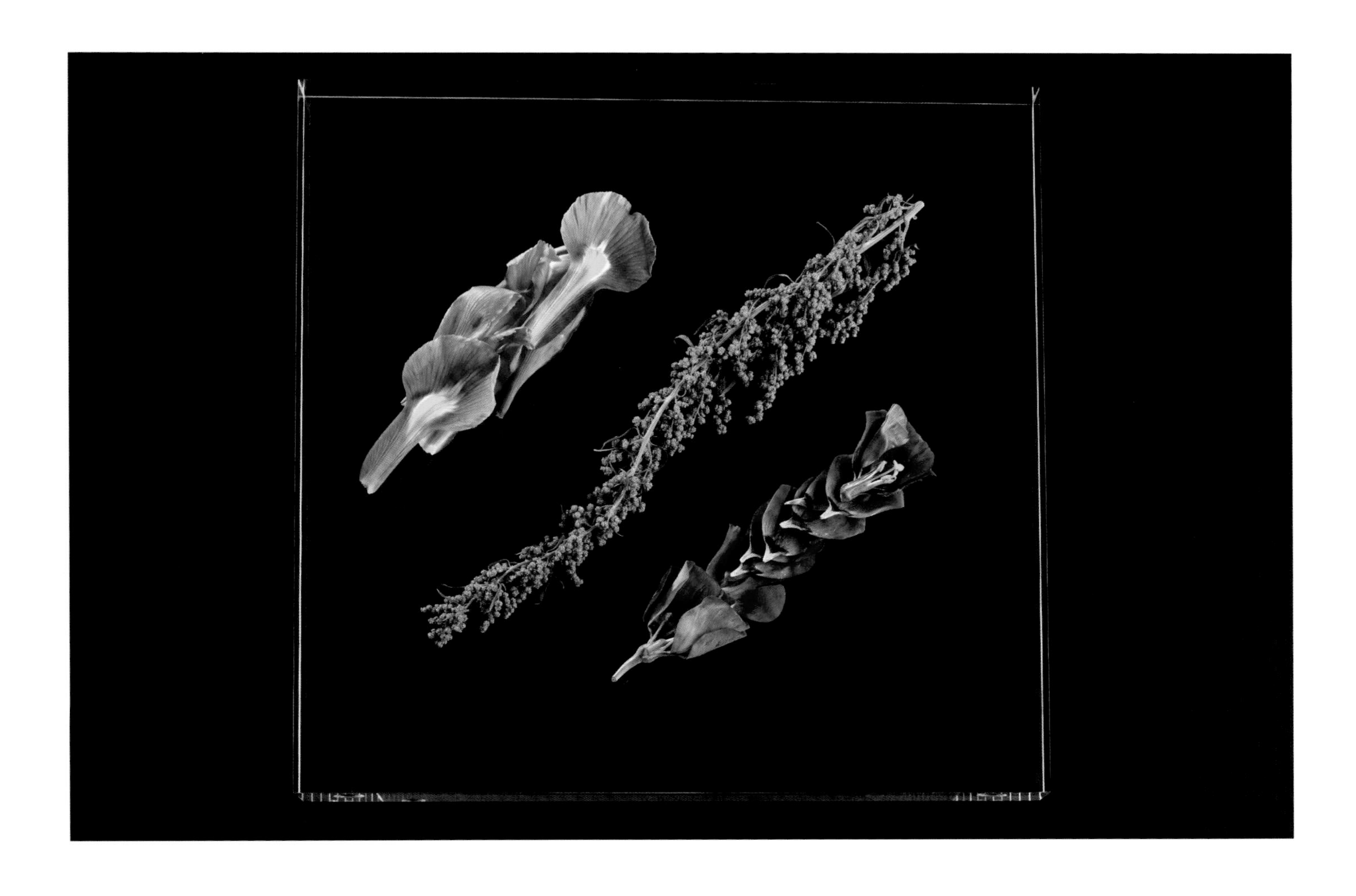

DOCTOR LISA COOPER

丽莎·库珀博士

澳大利亚

丽莎·库珀的灵感来源包括行为艺术家玛丽娜·阿布拉莫维奇（Marina Abramovic）、影像艺术家比尔·维奥拉（Bill Viola）、荒诞派画家弗朗西斯·培根（Francis Bacon）、德国装置艺术家约瑟夫·博伊斯（Joseph Beuys）、画家丢勒（Albrecht Dürer）、建筑师阿道夫·路斯（Adolf Loos）、花艺艺术家康斯坦茨·斯普赖（Constance Spry）“耶稣的小花”圣女小德兰（the "little flower" Saint Thérèse of Lisieux），哲学家西蒙娜·韦伊（Simone Weil）和文艺复兴时期的安托南·阿尔托（Antonin Artaud）。“我从事的花艺工作是我整个艺术实践的一部分”，丽莎解释说，“我唯一的志向就是创作艺术。在我的早年和中年时期，有些事情始终困惑着我。我曾同时对舞蹈和戏剧着迷，这两个兴趣爱好长期占据着我的时间。但有人说我‘看起来像’是天生就该从事花艺工作。这是有道理的。”对丽莎来说，花是符合宗教原型描述的超自然的引用，这个观念深深根植于她早年的思想当中。“我对鲜花的最深刻的记忆是十三岁那年，父亲去世时，鲜花那么完美地诠释了我父亲的一生，那是生与死的概括。”与鲜花天生的绚丽而又朝生暮死类似的，是他父亲精彩而短暂的一生。那场葬礼的记忆深深地印在了丽莎的灵魂之中，使她总想去抓住那些转瞬即逝的东西。而她的每一个作品，都像是对她父亲纯粹的敬意。她还指出：“我的美学天赋现在回想起来既有天主教风格，一如那种颓废、金色、繁琐、抽象之美；又有新教特征，一如那种朴素、基本、清晰、自然之美。”她最喜欢的过程是“插花”这一步。“‘工作’有一种令人陶醉的能量，把各种元素按照千变万化的各种结构不停地安插着，直到感觉到安宁和终结的那一刻。”无论是高修养的知识分子、时尚人士，还是艺术的狂热爱好者都是丽莎的粉丝。她也接到过无数订单，许多委托都来自受人尊敬的公司机构，包括澳大利亚现代美术馆、悉尼剧院公司和澳大利亚芭蕾舞团。“很多和我一起工作的人都会给我适当的空间，然后我带着一个构想回到他们身边，他们对我工作的信任和了解允许我直接就地创作。然而，”她补充说，“想法和现实之间总有一道鸿沟，因为有这么多的不确定因素，特别是当你的工作对象是鲜花这种活生生的元素时。”丽莎·库珀博士总能完美地处理好它们。

www.doctorcooper.com.au

“我被‘英国红’色调的月季所深深吸引，我也着迷于教堂版画里，圣徒手捧的玫瑰花束。我也不能用太多，因为红色是会‘反显’其他色调的。”

“我接过造型师乔里恩·梅森(Jolyon Mason)的订单，他委托我给《Manuscript》这本杂志设计一些关于‘蓝胡子’的造型。我开始想象所有的可能性。‘什么东西可以被视作蓝色？胡须应该由一种花还是多种元素混合而成？它们是否应该在一个骨架上创作？’最后，这些花都精心地贴在每个模特脸上，一朵挨着一朵。”

“德意志银行悉尼分行邀请我为庆祝安尼施·卡普尔（Anish Kapoor）的作品展而举行的晚宴制作花艺布景。现场参观后，我建议用同样壮观的鲜花们‘复制’卡普尔的成名作——《天镜》。随后，我们建造并挂起了一座三米的框架，用许多不同类型的蕨类植物作为基底。我用诸如康乃馨、兰花、迷迭香和薄荷等元素来强调色彩。色调只能使用绿色、正黄色和柠檬黄色，这样既模仿着大理石内部的纹理，又有着与大理石纹理截然相反的视觉表现。”

“和其他艺术作品一样，插花艺术关注的是线条、造型、质地、色彩和平衡。”

“著名珠宝品牌蒂芙尼委托我为他们在Bondi Junction（悉尼东部富人区）的专卖店开张（2013年2月13日）而制作一个花艺项目。考虑到店面有限的空间和平面，我设计并制作了一个金属‘底座’的结构，然后五种不同的桉树树枝波浪般起伏地培植于其中。并用知名水晶商BOHEMIA CRYSTAL的四个花瓶盛满芳香的本地月季，以表达爱的浪漫。我知道在蒂芙尼蓝（正是该珠宝品牌的招牌蓝色）的背景下，红宝石色最能引起对比的共鸣，而且这些花景会提升这些‘普通桉树’的层次。

EMILY THOMPSON
EMILY THOMPSON FLOWERS
艾米丽·汤普森：艾米丽·汤普森工作室

美国

感觉带着缠在发梢的葡萄的年轻酒神巴库斯看到这里的入口也立刻会想进去。这里满是鲜花和水果，洋溢着巴洛克式的美感和面纱般的邪魅。艾米丽·汤普森的美学品位甚至触及到她身边所有的物件。她生活在一个新罗马风格的大楼里，“某种程度上说是座遗迹，带一个微型花园阳台的小公寓。我不在家里插花。”但在其他任何地方，她都控制不住自己的插花欲。“我想让我的工作感觉更鲜活，甚至有一点危险”，她坦然道。她的作品提升了它们所在空间的美感，并美化了它们周围的一切。

她的作品最本质的特色，甚至在她尚未出名的时候，就有十分明显的雕塑般的仪态。“我曾在大学的花店里短暂工作过，之后我为艺术家工作并在学校教授雕塑课程。这一切都有助于确立我的思维和制作方式”，艾米丽说道，“我的花艺公司是在2006年成立的，从那时起，我就用各种各样精致和无限的材料——鲜花做‘雕塑’了。”艾米丽对鲜花最深刻的记忆和联想都来自野外。在她出生的别墅附近有一条枫树小道，周围则满是地毯般的绿衣苔癣。因此她的作品看上去自然而然带有一种森林情调，而不是泡沫塑料插花底座和金属铝线般的人造气息。她曾在一个宏大的作品中用到甲虫和飞蛾。她有一本花名册，里面全是可靠的供应商，提供给她最喜欢的野生植物。时尚杂志《Vogue》称她为“纽约的花艺师”，她甚至被邀请去设计白宫圣诞节的花景。“我们把花园布置在舞厅里。效果稍显简朴但是放在一起的感觉还是富有戏剧性和狂野感。”艾米丽梦想着为各个名胜目的地布置花景，包括罗马斗兽场、帕提农神庙、蓝色清真寺、冰雪酒店、吉萨金字塔和泰姬陵（“没有一个在大西洋城”，她打趣道）。在被问到她下一个雄心壮志是什么时候，她毫不惊讶地说：“我想建造一座关于美的庙宇。”看来，美神阿佛洛狄忒可能很快会和酒神巴库斯一起来拜访这里。

www.emilythompsonflowers.com

“我们以前的工作室和花店在布鲁克林区，在那里我最喜欢的黄铜和铸铁的容器盛满了夏季盛开的花草和枝叶。这陈设是一个关于绿色植物的研究，使用当地的野生材料来展现季节的变化。我们刚刚度过了一个寒冷的春天，仍在墙角里的雪鞋就是最好的证明。花铡还悬挂在这些精致的鲜花之上。

"这个花景是为客户家里的私人活动设计的。这是一个关于造型的尝试——一弯新月呈现于花瓶上方。我喜欢把悬臂推到近乎荒谬的比例。我也喜欢强烈而独特的花瓣形状，色彩的对比度，以及异国情调与世俗的结合。我一直在用百合花，试着用它们摆出新的造型。我也很喜欢使用水果，作为对花之未来的隐喻。我用木瓜树的树枝、蜜蜂花、百合、一点点多花黄精、玉簪叶和野生铁线莲。除了加利福尼亚产的铁线莲，其他所有的植物都是本地种植的。"

“为了纪念著名时装设计师，华伦天奴品牌创始人瓦伦蒂诺·加拉瓦尼（Valentino Garavani），在林肯中心举办了夏日时尚节的意式野餐。上图是我在调整桌中央的装饰品。篮子里有丰盛得呼之欲出的蔬果美食盆景。这个设计体现了我对温柏、橡树和其他粗壮而有构图感枝条的强烈偏爱。它们好像迫不及待地要把累累硕果带给这个鲜活的世界。”

“对于任何委托，我喜欢尽可能地了解关于这个项目的客户、历史和架构等背景。然后，我就可以基于这些条条框框，尽可能把更多新的、自由的想法和设计带进这个项目中。”

“左上图是正在建造中的大型婚礼拱门的照片。这个拱门用于新郎新娘仪式的拍摄。它是用野生黑莓和一株近两米长的蔓生蔷薇做的，周围混搭了些普通的玫瑰。拍摄地点是在一个美丽的天主教堂，那里据说拥有全美最古老的彩色琉璃。左下图是这个拱门最终的呈现效果，配合摄影师们带来的烟雾机制造出梦幻般效果，然而不久之后这个造雾机就触发了烟雾报警器！”

“上图是另外一场婚礼的祭坛装饰。这个布景全部用龙虱种朱顶红‘狼蛛’，我的最爱。”

“一个好朋友称我的作品‘宏伟且有雕塑感，经常使用野生植物作为前景，使用广泛种植的植物凸显壮丽的格调’。”

“牡丹的花期即使在我们的花园里也只能持续一个月，所以我格外小心地品鉴每一朵破苞而出的芬芳。你在这里看到的这种华丽的品种是我们新引进的，而且只会刚刚好在最后一株花毛茛凋谢，到第一株蔷薇开放的那一小段时间开放。花束会结合卜若地、青草和蔷薇叶，捕捉到那稍纵即逝的瞬间，那是那么多珍稀品种在相同的时间达到花期巅峰的窗口期。”

ERIN BENZAKEIN & FAMILY FLORET

艾琳·班哲克因和她一家：小花

美国

我们可能已经在华盛顿州斯卡吉特谷的某处找到了伊甸园。无穷无尽的有机花卉品种在约八千平方米的花田和十个温室中茁壮生长。欢迎来到“小花”花卉公司——一个你不想离开的绿洲。一天，艾琳·班哲克因卖掉了她的第一束能重新唤起买家过去回忆的麝香豌豆，然后她一回到家就开始处理起自家的温室来。“我把一整个温室的蔬菜全拔了，全部转而种花。”“小花”种子颗颗能活，只要一经栽种，就一定会长得很好很饱满。现在，无论是地方保护主义的倡导者，还是来自世界各地的花卉艺术爱好者都称赞艾琳和她一家。“我沉迷于研究”，这位勤恳的园丁说道，“我为了好玩，做了各种各样的试验。即使在困难时期，缓慢而艰难的起步期和一些危机的时刻，比如当我的研究出现了错误，导致我必须把那些艳丽夺目的大片鲜花绿叶当垃圾处理掉的时候，我那创新性的大胆壮举也不会停止。”艾琳的行为真正践行了实际意义上的“脚踏实地”——通过双手的辛勤付出后获取。她成为了新一代企业家的缩影，和不断反复尝试的先锋派花卉培育家的模范典型。“我很想看到批发商和设计师们更多地与当地种植者联系，从他们那里采购新鲜的农产品，而不是从世界各地空运。”在鲜花中漫步时，艾琳很快就兴奋地开始了新的花景布置。“大型花艺，如花盆或花瓶中的花，都很快就会凋谢。我喜欢戏剧般狂野而又长久的花，我认为我的兴奋会加速它们的生长”，她说，“中心花艺和小型花艺往往需要一点时间，因为把所有元素固定在插花筒里有点棘手。”本着诱人的创作原则，艾琳还有一个不寻常的偏好：“我喜欢可食用的蔬果——圣女果、草莓、小苹果、树莓、矮菜豆、香草、胡萝卜——把它们编入花束，以及轻盈的花草，使其能在微风中随风飘扬。”如果一个新人要怎么开始从事花艺行业？这一雄心勃勃的成功者给出的建议很简单：“拿你每周买拿铁的钱去买一束麝香豌豆！”

www.floretflowers.com

“我在一年内培育了四十六个不同品种的麝香豌豆，三十五种观赏用的辣椒花和六十五种鸡冠花，这样我就可以亲手尝试各种花不同的可能性。”

“晚秋和真正的冬天之间的这段时间常常让人备受煎熬。太黑暗太寒冷以致于很难真正进行创作，这是考验创造力和注意力的困难时期。正是在这段黑暗的日子里，我创造了这束花束。使用花园里最后的玫瑰，搭配女贞果、香菜叶、刺棘蓟叶、木通藤，另外我选择从当地的种植商购买的大量珊瑚玫瑰和桃花，绑成波浪状来形成这种浪漫的布景。”

GIOTA GIALLELI ANTONELLO
吉尔特·吉亚雷伊：安东尼洛
希腊

吉尔特·吉亚雷伊的别墅的每一扇门，每一扇窗都能俯瞰雅典国家花园，饱览美景。豪宅里的每一件古董，每一件家具，每一本书，都被真实流入的大自然所萦绕。“我喜欢奢华的环境，以及一切真实、高档的东西”，吉尔特坦承道。当然，这也适用于大自然。“我对花的最初记忆是一片巨大的玫瑰灌木丛，上面有几百朵红艳的花朵，旁边是一株八十岁的葡萄树，藤十分粗壮。我记得阳光透过葡萄藤洒进来，形成成百上千种深深浅浅的绿斑。那真是无尚的幸福。”这种超负荷的美感深深烙印在幼年感官的记忆，似乎一直在驱使着吉尔特把她的作品表现出相同的情感，无论是为路过的顾客设计单束花，还是接受最负盛名的雅典音乐厅、希腊总理的大楼或是某位影视明星的豪宅的花景委托。吉尔特也一直很用心地改变着她的店面的花艺布置，定期替换着花品展示最新最热的橱窗。“有天晚上，有个女子看到我商店的展示橱窗，第二天她特意打电话给我，对我说，这些美丽的花朵帮助她度过了艰难的一天。”尽管古希腊悲剧故事所萦绕的细微的悲伤总会激发她，但灵感可以来自任何地方：暴风雨、太阳、月亮、爱、恨、情……。吉尔特还画出了她自己的性格特征—坚韧、固执、好奇、一点点爱慕虚荣—将其代入故事当中，助她完成艺术的成就。最令人印象深刻的是她卓越的空间意识感，与她那毫无瑕疵的设计天赋的完美融合。这些特质，使她在历史遗迹、街边喷泉或海滩等一些很难抢镜的背景下展示她精心制作的雕塑般的花景时，显得特别有优势，仿佛这些作品完全在家中展示般自然。“插花艺术现在还在初级阶段”，吉尔特继续说道，“未来还有很长的路要走。我坚信有一天它将在众多艺术形式中占有一席之地，因为我认为它可能会比音乐更为重要。”

www.antonelloflowers.tumblr.com

“在我十五年以来的花卉艺术家生涯里，我的设计变得越来越大胆，并且获得了足够的自信，让我能处理好越来越难的项目。我能从闻到的气味、路过的风景、看到的颜色、甚至一束阳光中获得设计的灵感。”

“对于这款‘天堂的粉红’花艺作品，我用了数层粉色的飞燕草、补血草属鲜花以及甜椒花，灵感来自于我女儿的芭蕾舞表演，那场演出以‘春天’为主题。”

“我对‘鸟巢’这款作品的灵感，来自于我在林间散步时找到的一个有趣的鸟巢。我用到了洋百合的叶子、麝香兰、粉色的玫瑰、杏花、欧椴树、千里光和莳萝。”

“我觉得做一项各种花朵对人类心理影响的实验是很有必要的。因此，我试着用我的作品唤起强烈的情感。我想让每一位顾客都成为我花景布置的一部分。我相信我的作品有一种气场，情绪占主导地位，而视觉在一定程度上说是几乎不需要的。”

“这是为家在雅典吕卡维多斯山附近的一位朋友的生日宴会而创作的，我用了大量的植物，包括雏菊、桉树、美国红栌、荚蒾、金鱼草、绣线菊、香水百合、向日葵、小苍兰、无花果树枝，蜘蛛抱蛋、铁兰、农产会金奖牌的玫瑰和和平鸽牌马蹄莲。”

“有时我必须因为缺乏材料而调整我的设计。其他时候，我只是看看哪里有哪些材料可以激发我的灵感。绕些弯路的设计最后通常显得更有创意。”

HARIJANTO SETIAWAN BOENGA

哈里延多·塞蒂亚万：波恩加

新加坡

“从理论上来说，我认为我的作品属于先锋派，尽管令人惊讶的是我还很喜欢极简主义。在我家的布置能很好地反映这一点，因为我只摆放一些简单的盆栽，并没有花。在家里，我渴望放空和宁静，从而让我的心灵得到休息和更多的灵感。我的花艺店的一切都是关于我的想象力，而不是视觉刺激。”

当哈里延多·塞蒂亚万告诉他父亲他想成为一名插花艺术家时，他父亲给了他一些明智的建议，“你宁可做一只小笼子里的猛虎，也不要做一只大树上的蝼蚁。”哈里延多遵从了这些建议，所以他现在是新加坡最受尊敬的花艺从业者。他最初学习并从事建筑业的工作，“但八年后，首先在雅加达，然后在新加坡，我决定是时候以我八年建筑师的经验所得的灵感来给花艺场景带来些新鲜的血液了。”波恩加（Boenga）一词源自印尼语“bu-nga”，是“花”的意思，创立于2002年。在为新加坡一家主要银行旗下三十家支行定制的圣诞树获得了巨大成功之后，哈里延多迅速成为了该地区富人和名人的现场花艺魔术师，尽管他不得不指出：“我的创作风格现在更多的是华丽、戏剧性和表现主义。”无论是筹备印尼大亨的奢华婚礼，或是用了成千上万株定制鲜花的艺术展览，抑或是“海底的鲜花王国”，哈里延多所有的作品都融入了一种他特有的异世界的幻想精神。然而，这总是以充分的准备为基础。他坚持道：“不管一个项目大小如何，你只能在基础的准备稳固后才可以自由发挥。”在他的努力下，他已被冠以无数的荣誉——“波恩加”被新加坡《尚流Tatler》杂志评选为“最好的花店”；比利时“2010～2011年国际插花艺术大赛”中获得银叶奖；《Fusion Flowers》杂志举办的“年度最佳国际设计师”评选中获得第三名；新加坡花园艺术节上获得金奖和最佳表演奖；以及在著名的总统设计奖中获得“年度设计师”。哈里延多的编排以他善于使用多种色调的绿色而闻名，可能是源于一种对孩提时代东南亚热带雨林的怀念。他最喜欢的花包括奔放而美丽的嘉兰百合。“鲜花就好像罐子里的糖果”，他说，“如果你吃了它，你会享受到它的甜蜜，如果你把它留在那里，它在罐子里仍然是美丽的。这就是我为什么会相信花有一种愈合和仁慈的力量，就是所谓的‘鲜花和平’。由鲜花将世界上所有的人团结在一起，并促使我们人类成为一种更加和平的物种，而这一天可能真的会到来。”

www.boenga.net

“这个名为‘天堂祝福的淋浴’的作品展示于马来西亚布城的花卉艺术展。它主要是由万代兰、莫氏兰、嘉兰百合、金槌花、兰花根和鸢尾叶组成。我还用到了透明和夜光绿两种色调的纶丝。”

“这个头部花饰被称为‘女王’，是在马来西亚槟城的张弼士故居（蓝屋）里制作并拍摄的。主题是中国古代的美女。我用到了红色的花园玫瑰、金丝桃的种子和红色的大丽花。”

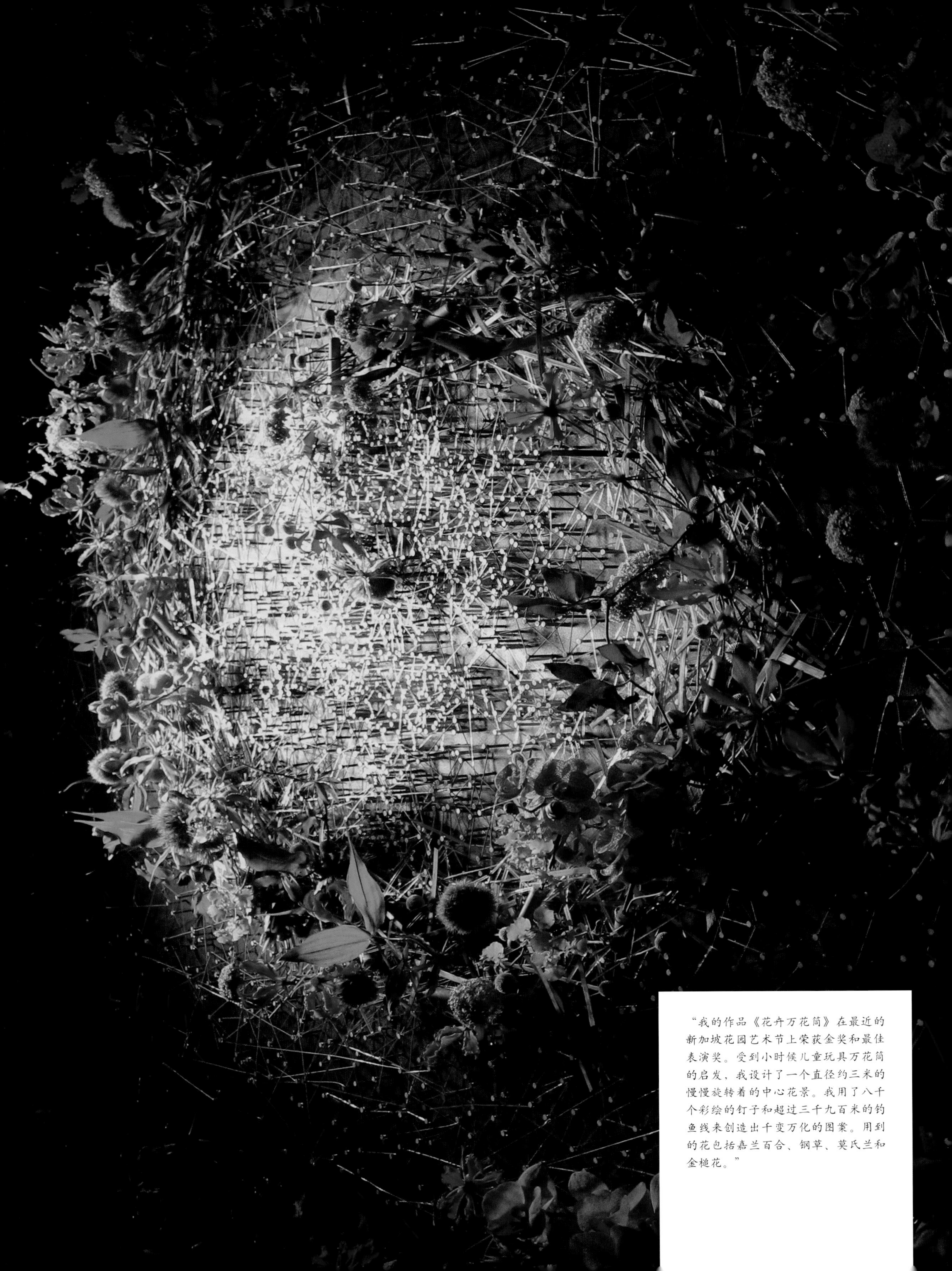

“我的作品《花卉万花筒》在最近的新加坡花园艺术节上荣获金奖和最佳表演奖。受到小时候儿童玩具万花筒的启发，我设计了一个直径约三米的慢慢旋转着的中心花景。我用了八千个彩绘的钉子和超过三千九百米的钓鱼线来创造出千变万化的图案。用到的花包括嘉兰百合、钢草、莫氏兰和金槌花。”

“这件名为《面条！》的作品是由精心切成条状的马蹄莲来模拟面条的效果。碗是用晒干的苔藓制作的。”

“这件作品叫《动》，我用钢草做了杯子。它被《Fusion Flowers》杂志授予金奖，我还因此获得了‘年度国际设计师’的提名。”

“我被邀请为在法兰克福新建成的欧洲中央银行创作花景。这座令人印象深刻的大楼有两座塔楼，被一个空旷的空间连接着。我用桉木创造了基本的图形设计，看上去像是漂浮在空中，然后在上面布置了一种华贵的、巴洛克式的花景。用到了冠花贝母、康乃馨和杂交的郁金香。通过这种方式，我把新老事物联系在一起。”

HEIKO BLEUEL
海科·布鲁埃尔

德国

在普通的插花作品中，我们往往会看到花被摆放得漂漂亮亮的，仅此而已。海科·布鲁埃尔的作品也不能免俗。“我旨在带给观众惊喜，鼓励那些可以把日常琐碎之事物以不一样的方式演绎的想法。”为了做到这一点，海科给予容器和花同样的关注度。“我总是在挑战自我，试图把耐用的素材和不耐用的元素结合起来。如果你能让美丽容器中婀娜多姿的鲜花形象永恒地留存在观众脑海中，那么无生命的花盆本身也需要变得更‘生动’。”因此海科的作品几乎全部用到了独家专属的、完全手工制作的容器，仿佛那些物件本身就可以讲述一个故事。“在如今这个所有东西都可以工业化生产的年代，我有责任把我对传统手工艺的欣赏之情传达给我的客户。”他有多年的经验可以分享。“当我八岁的时候，我的家人就很清楚地认为我日后会成为一名园丁。但是，几年后，当我真的成为了职业园丁，我才意识到这份工作并没有达到我理想的期望。然后当我十九岁的时候，我已经被训练成一个插花设计师了，我参加了全国插花大赛。当我看到一个个插花大师做出的富有创造力的作品时，我知道我走的路是正确的。”海科在1996年就获得了“花艺大师”的称号，之后他赴卢森堡、比利时、瑞士和意大利等地工作。在德国花卉杂志《Profil Floral》工作了一段时间后，他开始从事自由职业。“这样我就有更多的时间来创作经久不衰的花艺作品，于是我和Bulthaup工作室以及B&B Italia家居联合创办了公司。我的工作开始越来越多地进入室内设计领域。”海科也进军产品设计，他给诗选四重奏设计的“光的颜色”台灯登上了《AD》杂志的封面。2006年，他在法兰克福开了自己的花店。“不仅卖鲜花和植物，我也卖一些独一无二的物品，比如弗朗西斯科·德瑞（Francesco del Re）设计的高级陶器，Arcade旗下的彩色琉璃品牌Murano glass，以及安娜·托夫斯（Anna Torfs）设计的波希米亚玻璃。我还为年轻的设计师们举办了一系列展览。我的顾客以设计为导向，他们总是在想方设法改善室内环境。好的花艺设计师能创造独特的机会带给他们的顾客锦上添花的花卉作品。”

www.heikobleuel.de

“在你脑海中畅想一些东西是非常刺激的。我经常把一些东西看得特别透彻，以至于我甚至觉得把它们设计实现出来都是不必要的。但一旦我接受了这个理论，创造性的点子就变得尤为重要了。只要你有了一个点子，插花的工作就会感觉像散步一般悠闲。”

“这种设计的思路来自于建筑学。花盆被粘在上面的山毛榉树叶所覆盖，形成一个倒金字塔的形状。我切断了枝梢，使容器更好地平衡。春季开放的花朵会从金字塔的表面生长出来。”

"这种年迈大师的艺术，比如老扬·布吕赫尔（Jan Brueghel the Elder），达维茨德·海姆（Jan Davidsz. de Heem）和雅各布·冯·维斯卡贝尔（Jacob van Walscapelle），是激发我把静物画转接为现代花艺作品的灵感。例如，蜗牛预示着慢节奏的生活，鸽子预示着死亡。还包括野生草莓、黑莓的棘、艳丽的皇后杓兰和欧洲山毛榉。"

“我一直受到巴洛克风格的启发，把许多不同花的不同形态——往往是它们在不同季节的形态，聚集在一起，放到一个单一的花卉作品中。这个过程是很刺激的。在我学习期间，我们被要求重新思考和解释老艺术家的作品。我做了一个非常有争议的绳状花艺设计，用了大约六十种不同的花，形状风格各异，而没有叶子。将近二十年后，这种类型的插花风格风靡一时。”

HELENA LUNARDELLI
ATELIER HELENA LUNARDELLI

海伦娜·露娜德莉：海伦娜·露娜德莉工作室

巴西

当我们看到饱满的色彩和十分茂盛的枝叶混合着热带花卉时，毫无疑问这就是我们热带花艺的大使。所有诱人的、郁郁葱葱的，嘉年华般的魅力读作一个词：巴西。居住在圣保罗的海伦娜·露娜德莉二十七岁那年，在一家时装店工作时，开花艺工作室的两个朋友邀请她成为了合作伙伴。“当我拿起剪刀，开始准备生平第一次花艺创作时，我就感到了难以言表的兴奋感，我明白了我为何而出生在这个世界上了！我开始去花卉市场学习更多关于花卉贸易的知识。”海伦娜的作品往往经过精心设计，营造出一种极美的氛围，富于舞台效果。她是圣保罗的Armazéns Gerais保税店，这座拉美最大花卉市场的狂热粉丝，她甚至写过一本攻略，介绍如何在Armazéns Gerais买花。一个记者曾称赞海伦娜的工作对保护巴西原产热带物种的贡献，尤其是她始终使用巴西原产花卉而做的古典和现代插花作品（她说这让她想起景观建筑师罗伯托·布雷·马克思（Roberto Burle Marx））。海伦娜补充道，“我感到非常荣幸，因为在那之前，我从未意识到我基于本地热带花卉的工作对保护本国文化和植物有多少贡献。”此外，她的花艺设计还延伸到了更广泛的慈善业。海伦娜在2010年启动了《慈善之花》项目。通过志愿者，这个可回收项目是基于使用从婚礼、宴会上用过的插花来进行再设计。“我们在活动后收集鲜花，创造新的花艺设计，亲自送到老年人家里。我们还培训低收入工人，通过接受捐赠鲜花来装饰低收入社区举办的活动”。遇到如此有天赋的人是多么的令人高兴，她的技艺植根于她的本土文化，她的创造力又是那么地无私。

www.atelierhelenalunardelli.com.br

www.florgentil.com.br

“我的作品以非传统元素的使用而知名。水桶、水槽、涂料罐都可以改造成为盛花的容器，并且我还经常使用羽毛和玩具作为装饰。但我相信我的风格是结合了新旧两种设计理念，并且避免过于直白明显的设计。”

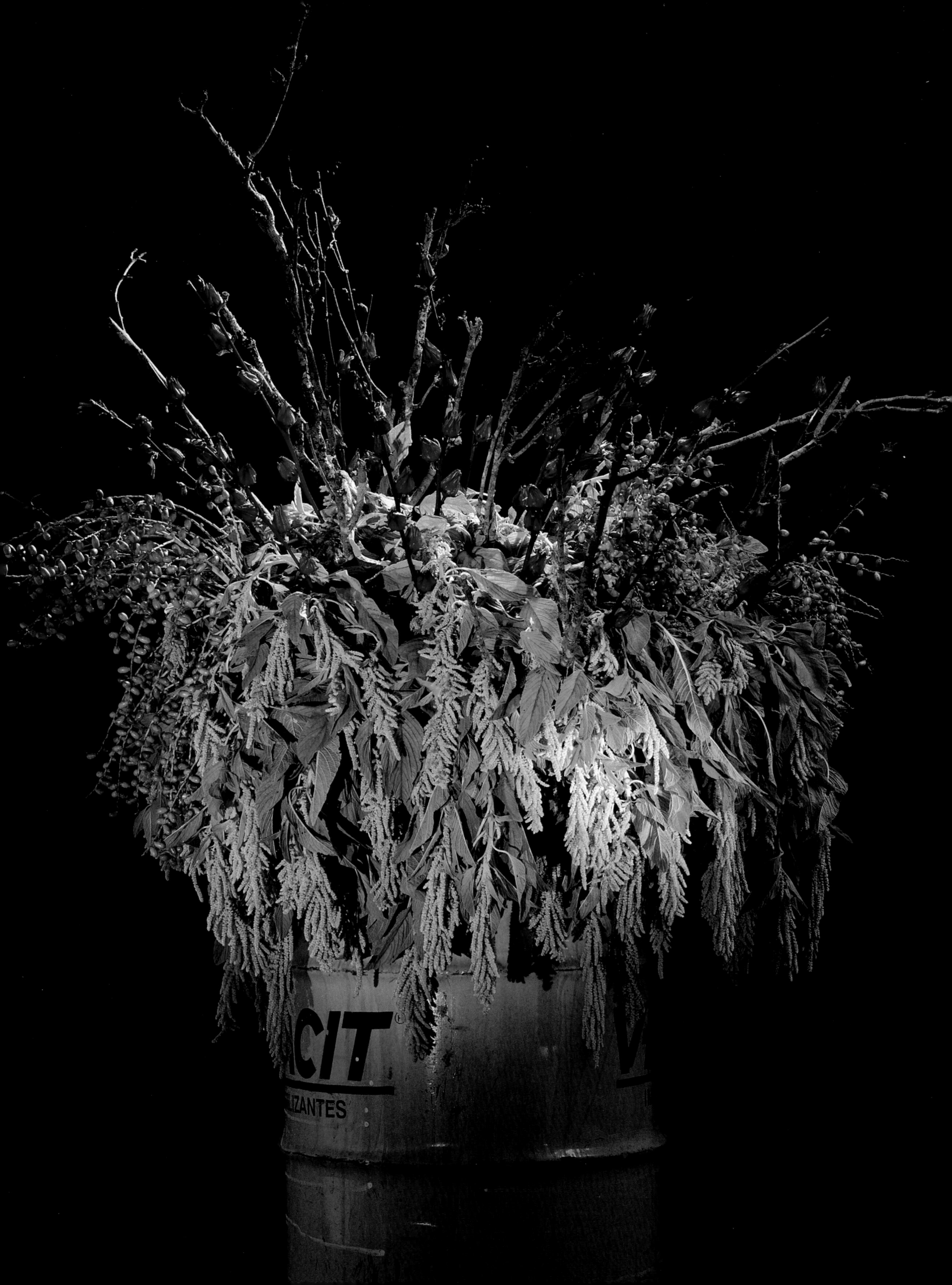
CIT
LIZANTES

“我为一次非常特殊的婚礼做了这些花艺设计。这个新娘起初和新郎分手了，嫁给另一个男人，之后两人再次相遇，她的旧情复燃，并决定永远和他（现在的新郎）在一起。她喜欢兰花和绣球花，以及一些清爽的色彩，比如褐黄色和古典玫瑰红。我从而对这场快乐、轻盈的金秋婚礼产生了灵感。我使用了很多金桔树叶和中国桔子树叶，以及百合和金鱼草。对于婚礼现场的布置，我选择了水仙，希望以此守护他们的爱情。这还让我想起了一个希腊神话：如同湖边的纳西瑟斯一般，这对夫妇从对方的眼中看到自己。”

HOLLY VESECKY & REBECCA UCHTMAN
HOLLYFLORA

霍莉·维瑟奇和瑞贝卡·奥赫特曼：冬青

美国

冬青花艺团队被一些人誉为洛杉矶最好的插花二人组，他们一直维持着良好的声誉。“你看到冬青创作的花艺产品了吗？她们做得恰到好处。”那时候，一个画廊的主人举办画展的时候，这两个“女孩儿”正在那里布置鲜花，无数这样的议论声纷纷入耳。但霍莉·维瑟奇和瑞贝卡·奥赫特曼更喜欢保持低调，她们更关注自身对花艺事业的奉献。她们以打造梦幻般雕塑作品的热情创作质朴的花束。“我们是现代媒体与传统（工匠）之间的特定领域的创新者（艺术家）。我们的风格可以被描述为‘野性和接地气的加州风格，充满了怀旧的乡土气息’”，霍利说。瑞贝卡补充道：“我可能最沉迷于有点儿暗黑的元素、一些可怕的东西，比如鲨鱼的牙齿、小老鼠、鸟的头骨、鹿角，这些东西总能让花看起来更漂亮。”霍莉的花艺天赋可以追溯到她在做流水线厨师和冰激凌厨师的时候，“用食物雕刻”。而瑞贝卡，曾作为一名美发师，学习设色、造型和布局平衡的理论。这对组合创作的大量作品往往会给人留下深刻的印象。“在朋友和志愿者的帮助下，我们建造了一座花卉火山。这座三米高的圣海伦山的复制品内部有一个低音炮，它的三个音筒会不停地震动这些花瓣，直到花瓣迸发出来”，霍利回忆道。而对于她的《鹰星云》作品，她说：“我与电子工程师合作过，他们做出了一个无序的照明方案，使花朵非常微妙地闪烁，就好像穹顶下的夜空。”在设计和实际表现之间的反复尝试，使得冬青团队的创造力不停地增长，而她们收到的订单也越来越多。这对组合的成功也可归功于她们脚踏实地的工作态度。“我们在加州奥海镇开辟了一个有机的、生机勃勃的果园。我们想在那里发展一个小型休闲场所。客人可以在花园里采花，从树上采摘水果”，二人笑道。她们这个《冬青自助果园》项目一定会实现。

www.hollyflora.com

“在加州奥海镇的桑树港湾有机果园，一百七十棵果树生长在一千三百平方米上，包括桑树、森夏恩牌葡萄柚、角豆树、石榴、血橙、李子、香肉果、柿子、安娜苹果、无花果、大枣、桃子、澳洲坚果、枇杷、柠檬、酸橙和卡特莉娜樱桃。鲜花是从后面的花园采摘的。”

“我们从大瑟尔的红木林中找到了很多灵感。右图罂粟花与花毛茛混合着有趣的、毛绒绒的绒球花给人一种阳光穿透森林洒到灌木丛上的感觉。对于右图的花束，我们是从春天果园的硕果累累中获得的灵感。我们剪掉了象牙色的玫瑰和桑叶，加入了当地产山茶花和毛茛花，以形成一种自然的‘园丁大师’的感觉。”

“在这世界上，没有完全相同的两朵花，尽管同一种花有它相应的花季，但每一朵花都有它独特的个性，就像人一样。”

ISABEL MARÍAS
ELISABETH BLUMEN
伊莎贝尔·玛丽亚斯：伊丽莎白花艺

西班牙

“我有种能知道花儿自己想摆在哪个位置的感觉，我只是听从它们的要求！我一般会去淘古董店和跳蚤市场，寻找符合花艺设计的容器，然后把花一朵接一朵地插放进去，如同诗人编排诗句一样，创造出最具表现力和最美丽的作品。”

一些插花有能够把我们带到一个美丽的平行世界的魔力：一个满是精致而动人的色彩，水晶的花瓶和精美茶罐摆在碎花桌布上的世界。在这种美景下，在复杂而精妙的美丽背后，我们仿佛能听到一曲弗拉明戈咏叹调般淡淡哀伤的旋律。2010年，伊莎贝尔·玛利亚斯·卢卡·德·特纳在马德里创办了她的插花和花展公司——伊丽莎白花艺公司。而她在75号大街开的第一家门店，如今已成为古典风格现场插花设计的知名承办方。事实上，她原来是学时装设计的，她也总是想着自己会投身于时装行业，“但我感到非常失望和失落。出人意料的是，插花先是成为一种爱好，然后变成激情，最后成为了我的事业”，她回忆道，“我开始在一个大型花卉公司里，每周一次，协助一个花艺师插花，那些特殊的日子成了我一周中最喜欢的时光，我会把剩下的鲜花边角料们带回家里，迫切地创作着自己的插花。我很快就意识到我一直想被鲜花包围。”当伊莎贝尔第一次来到鲜花批发仓库时，她感觉自己已经来到了天堂。“我能接触到所有的植物，包括我最爱的落新妇、白色的银莲、黑色的雄蕊、芬芳的月季、各种莓果和秋天的红叶。”即使是今天，当她打开从荷兰寄来的快递时，她还是会欣喜若狂：“这感觉就像撕开包装纸去发现你最期待的圣诞礼物。”花卉的种类越多越好。“我觉得我的工作是深思熟虑又认真仔细的。虽然我在设计前从不打草稿，但我脑子里确实有许多参考资料。”伊莎贝尔的设计遵循着她的直觉，并且这很有效。“有人告诉我，在看见我的插花之前，他们从未关注过花。这真的让我很感动”，她补充道，“进行插花设计工作时，我会进入一种‘冥想’的状态，我几乎是超然出神的。”伊莎贝尔十分执着于避免重复，这使她不断地感受并思考现在的作品，不断推陈出新。正是这种完美主义，意味着她的艺术作品永远不会堕入虚妄或迷惑。

www.elisabethblumen.com

“我对色彩和它们无限的组合搭配充满热情，我热爱创造稍纵即逝的美丽。这个老式瓷茶壶里的小花束（左上图）用到了月季、郁金香、风信子、杰拉尔顿蜡花、婆婆纳、桂足香和桉树。在金属锡罐里的作品（左下图）是用干花，如绣球花、薰衣草、罂粟、欧蓍草和金雀花做成的。”

“玻璃瓶里的花艺设计使用了浪漫古董（月季花种）、落新妇和海桐花。这个小型婚礼花束是用鲜花干花混合而成的，包括落新妇、金槌花、欧蓍草、洋甘菊、小菊，用复古蕾丝系成。”

“此页上的婚礼花环是用保鲜花如玫瑰、菊花、薰衣草和洋甘菊做的。户外婚礼花束（右图）包括了金鱼草、落新妇、洋甘菊、野胡萝卜花、萝摩、香水月季和芙莲，用梭结花边系着。”

JOAN XAPELLI
FLOWERS BY BORNAY
琼安·萨贝莉：波奈的花卉

西班牙

“波奈的花卉”团队之于插花艺术就好比是分子料理厨师费兰·阿德里亚（Ferran Adrià）之于当代菜肴：革命性。但以创始人琼安·萨贝莉·波奈（他的全名）自己说起来，成功还为时尚早。在他缺乏安全感的、内向的青少年时期，他的想象力就充满了魔幻世界的色彩。“漫画书、漫威超级英雄、乔治·卢卡斯（George Lucas）和史蒂文·斯皮尔伯格（Steven Spielberg）史诗般的电影给我留下一条逃离现实之路”，他回忆道。虽然他着迷于充满创意的艺术家和设计师，但他从未想过自己能从事一项艺术事业，因此他从事着各种平凡的“种植”工作，直到他成为加泰罗尼亚花卉贸易的行政职员。机遇和转变随之而来。最后，琼安在整个西班牙进行鲜花贸易。十三年后，他意识到他可以把自己对花卉丰富的学识和生动的想象力结合起来，为花卉艺术创造一种新的独特的模式。“当我意识到我可以把鲜花和我的幻想世界结合起来，并以此为生时，我就成了世界上最幸福的人！”现在，他和他的队友，法蒂玛·瓦尔德佩拉斯（Fàtima Valldeperas）和马耳他·维达尔（Marta Vidal），建立了一个“think-out-of-the-box（跳出条条框框思考）”论坛。避开先入为主的观念和期望——无论是关于“花理学”，传统要素的使用，或是从事花艺设计需要相关的专业背景作为先决条件——该公司的运转更像是一个实验室而不是一个花卉工作室。通过坚定而严谨地实施他们的创意，这个团队成功定义塑造了鲜明“波奈”风。但是，正如琼安说，“我们既不是激进分子也不是中心文化主义者，我们只是走着我们自己的路。”尽管这家公司已是该领域的翘楚，该团队仍然定期组织广受欢迎的教学课程，用琼安的话说，“我们乐意分享秘密给世界各地的人。”使用非凡的材料和技术，他们即兴发挥创作着赏心悦目而又绚丽夺目的作品。和电影导演一样，琼安找到了一条成功之路。

flowersbybornay.blogspot.com

“对页图可以看到我的一个成名技巧——喷漆。左图‘裁缝的花束’的灵感来自老式裁缝。康乃馨和白牡丹能够唤起温柔和优雅。花束用明亮的缎带和卷尺系住。”

“工作时，我们遵循‘波奈’规则。举例来说，为了达到我们招牌式的外观表现，我们禁止使用树叶填充物，而是使用非传统的技术将我们的设计有机整合起来。”

“对页图名为《亨利·马蒂斯》，是由上了色的多肉植物组合而成的。下图名为《夜灯》，是用绣球花和上了色的蓝刺头做成。两者都符合我们的视觉表现规则，以更创新的方式展现花朵，效果更现代，充满无限可能性。”

“我们的‘像素’概念是出于希望取代常常作为框架的彩色沙子而诞生的。我们集思广益，想出了用彩色泡沫块的方法。这些‘像素镜子’的灵感来自20世纪80年代的电子游戏，由绣球、景天、鸡冠花、百日草、牡丹、玫瑰和绒球花组成。我们从大的泡沫板上切割出每个‘像素’，然后进行单独绘制。”

“花艺作品的每一种元素都要有它存在的意义和位置，但他们仍然需要‘拼贴’在一起成为一个和谐的整体。鲜花帮助我以一种视觉的、美丽的方式讲故事。

“公司成立后不久，我们就提出了‘地毯’概念。我们被委托装饰当地的W酒店，花了几天时间来考虑这个项目。我们想要从海底找一些灵感，这就是我们决定在花盆里创建我们自己的水上世界的原因。这为‘地毯’系列开辟了无限的可能性。这个作品的名字叫《火星》，顾名思义，受到那颗行星的启发，由康乃馨、金槌花和一些岩石组成！”

KALLY ELLIS
MCQUEENS
凯莉·埃利斯：麦昆花艺
英国

把自己的生活推向一个全新的方向需要很大的勇气，尤其是当做出的改变纯粹基于直觉的时候。但这正是凯莉·埃利斯二十年前的所作所为：去追寻梦想，直到最后梦想成真。“我梦见我是一名花匠，而梦中的影像过于逼真和强烈，以至于我六个月内真的开始经营花店了”，她回忆说，“直到今天，我仍然遵循着当时的领悟，即不要过度思考，也不要过度研究，无知即福。相信你的激情，决心将会助你渡过难关。”凯莉的第一家店开在伦敦的肖尔迪奇，在这个地方，著名时装设计师亚历山大·麦昆（Alexander McQueen）的阿姨曾经开过一家精品花店。现在凯莉在旧街开了她的旗舰店，又在梅宝尼克拉里奇酒店里面开了家奥特莱斯精品店。她和她的团队正在迅速地承接着那些极负盛名的客户的业务，包括诺伯克利酒店、奢侈品牌法国酩悦·轩尼诗－路易·威登集团、汤姆·福特和迈宝瑞，以及为《名利场》杂志年度奥斯卡派对布置花艺（“一直在全世界到处飞，真的时常会想‘掐自己’一下，看看是不是在梦里的感觉。”）。麦昆创意宣言的核心理念是干脆利落的简朴和轻描淡写的有型。用最少的花朵、重复的花瓶和坚持使用当地花卉品种是其标志性的特征。凯莉总是把她的天赋发挥到极致，无论是手捆的花束还是大型活动策划。“我经常有跳出条条框框的想法和巧妙利用力学的设计。比如，我会用透明的钓鱼线来使花看起来好像是浮动的。”她也会坚定地信赖她的同事：“我的团队睿智、勤劳、忠诚，充满才华和灵感。许多人来自艺术和设计学院，所以他们不受插花传统规则的束缚。而我也更注重创新。”凯莉职业生涯的亮点之一是麦昆品牌成立二十周年典礼，“看到我出色的员工和客户们一起——有些员工从一开始就和我一起共事了——聚集在一个房间里，庆祝我们所取得的成就。”就像她致敬的一个女主角——《傲慢与偏见》的伊丽莎白·班纳特（Elizabeth Bennet）一样，凯莉也具有“强大、独立、清楚自己规划想法的女人”的鲜明特征，她有着很高的生活品质，致力于将我们的世界变得更美丽。

www.mcqueens.co.uk

“这盆景观鱼缸型花瓶展示了麦昆花艺的招牌特征：绿色的绣球花、葱属植物、紫色的铁线莲、白色的刺芹、粉红色的满天星和软羽衣草。”

“白色的海芋和卷柏植物上装饰着一块木头。对我来说，这代表着禅意。它在这一瞬间，是那么的安宁、放松。”

“对我来说，一切都有关于设计的视觉展现。只使用一种花是我们的招牌特征。我一直喜欢干净整洁的设计。”

“这是一个当代麦昆设计的典型样例，集鲜花、戏剧和浪漫于一身的风景三重奏。这些花里有很多都是我特别喜爱的，比如拉贝尔粉红玫瑰、粉红绣球花和莎拉·贝恩哈特牡丹。”

“我们在梅宝尼克拉里奇酒店里承办了迈宝瑞2012春夏时装秀的花艺布置。主基调是神秘和魔幻。我用树支撑起一簇簇英伦花卉，包括玫瑰、绣球花、满天星——典型的英国花卉，主要使用薄荷绿色和桃色，零星点缀一些象牙色。完成的样子，好像迈宝瑞有了一座微缩版的大英皇家花园！”

KRISTEN CAISSIE
MOON CANYON DESIGN
克莉丝汀·凯西：月亮峡谷花艺设计

美国

“我让花为自己代言，也为我代言。我不喜欢过度设计一款作品，我想使我的作品保持自然。我还喜欢使用大量的野生藤蔓植物、蕨类植物和林地绿色植物来支撑我的设计，让人们觉得这些设计看起来轻松惬意。”

在克莉丝汀·凯西的大部分作品里，你都能见到一片迷人的头状花序百花齐放，大小不一，点亮着错综复杂的枝叶。这是一种典型的“Love is in the air（爱无处不在）”风格的浪漫形式，具有强烈的效果。支撑这一特点的三个关键的因素是：第一，克莉丝汀在孩提时代，曾躺在祖母家盛开的丁香树下，并且用她的话说是，“就像一只小蜜蜂般沉醉于其香气中”；第二，她学习浪漫文学，特别是诗歌；第三，她从事插花简直就像是她的第二天性。“在我浪漫文学的学习生涯里，我会放慢脚步，停下来闻闻玫瑰，然后不回头地继续前进”，她打趣道，“但是在我完全投入到花艺设计行业之前，我试着做过一些橱窗展示的道具造型设计的工作。我真的很喜欢使用各种素材来制造有趣的风景。于是我离开了波士顿快乐的家和那儿伟大的橱窗展示事业，搬到了洛杉矶。但又有一些事情让我离开了西海岸。当我刚到洛杉矶时，我完全没有任何计划可言。我又站在了新的起点上，自由地去创造一个新的开始。”月亮峡谷设计公司开张了，克莉丝汀与她的朋友艾米·里普林斯（Amy Lipnis）联手展开了纯正手工的新事业。每一束花、每一个花环、每一座花景安装都是由她们手工制作的。花朵胡乱地悬垂，集束的松动，每一个充满辛酸的坎坷仿佛都唆使她们放弃自己热爱的事业。但克莉丝汀性格的核心是“坚定地做让自己快乐的事”，而这帮助其克服了所有的烦恼和疑虑，并让她们把美丽的作品传递给客户。“有些花的花期比其他的花长”，克莉丝汀指出，“但每一朵都美丽，都能在那个瞬间绽放光芒。不论是长期还是短暂，谁也不能否认它的美！也许我们都能从水仙花的生命旅程中领悟到活在当下才能享受生命的真谛。”

www.mooncanyondesign.com

“这张照片是春天时，在一个朋友的工作室里拍摄的。我喜欢她那里宽阔明亮的白色阁楼。我认为那些花在那片白光下看起来是如此漂亮。”

“我喜欢这种花景的表现手法，就好像它是在春天的森林地面上发现的一样。对我来说，它微妙的颜色和枝叶唤起了浪漫的感觉。我发现它伸展的姿态是如此美丽，如此自由。这里面的花包括里贝母、月季、罂粟、伞蕨、绣线菊和紫丁香。”

“这个设计是在别的设计完成之后做的，基本上利用上个设计的边角料。我几乎从不使用这么鲜艳的颜色，所以当我做出这件作品时我感到很惊喜。我喜欢它的饱满和野性。活泼、多彩、明亮，这都不是我常见的风格！这里面的花包括芙莲、罂粟和捡来的叶子。”

“我想做一个非典型的新娘手捧花束。最终产品（如下图）用的树枝和豆荚，是一种如入森林氤氲般的浪漫，而且我也很喜欢用互为对比色的紫红色和绿色。对页左上图用的是贝母，它是如此的敏感而威严。我本来打算把这束花放进花景的编排中，但后来意识到它需要单独摆放更好看，因为它所有的美都源自于它自身的律动和造型。对页右上图的羊齿蕨和春季花卉在这张老式椅子上显得非常匀称。花环和新月造型的花艺是如此美丽，几乎任何褒美的词藻都可以描述它。对页下图也是一个花环，是为纺织设计师瑞秋·克莱文（Rachel Craven）而做的。她干净的风格激发了我的灵感，促使我想要去设计一款能与女性和美产生共鸣的作品。又一次，我利用这个机会做了一个完美的花环。”

LINDSEY BROWN
LINDSEY MYRA & THE LITTLE FLOWER FARM

林赛·布朗：林赛·米拉和她的小花田

澳大利亚

“我喜欢保持花的原貌，不喜欢尝试把花变成别的东西。花弯曲的角度或笔直的效果不是我的风格。对我来说，花艺是一种想要抓住一点点外在美并把它带进内在美的艺术。我的目标是让我的作品具有深度（色彩、纹理和样式）、同感（能够感知于周围的环境）和动感。”

林赛·布朗十分清楚是什么滋养了她的灵魂。“色彩使我兴奋。纹理使我陶醉。大自然给了我很多东西。”这位艺术家兼工匠——自我描述为变色龙——实际上一开始是做织布工的。今天，她说：“我仍然认为自己是一个织布工，只是不再专注了！但在许多方面，插花也是一种编织。”两个主要经历促使了她走向真正的、专职的花艺事业之路。“在墨尔本一家知名精品花店塞西莉娅·福克斯打工七年，和老板塞西莉娅·福克斯（Cecilia Fox），我的好朋友梅勒妮·斯台普顿（Melanie Stapleton）一起工作的经历，对我花艺事业的发展，对我的为人处事，都是必不可少的。”林赛认为她今天的成功主要归功于她的一点点小乐观、一点点小希望和一点点莽撞的决定带来的小幸运。而实用主义也对她的成功有所帮助。“植物教给我们一个道理：美丽终究会凋谢，时光永不会再来。我相信我既然作为人类诞生在这个世界上，就要活得快快乐乐、健健康康，并对得起自己。我通过创造和分享美好的事物来做到这一点。这个世界总是需要更多的美。”林赛的承诺在她的“小花田”得到了体现。“这个花田的目标是既教育公众，也教育业界如何更和谐地与大自然相处。它是有机的，基于朴门永续设计原则的。我专注于培育传承性的品种，促进生物多样性，打破‘花是遥远且神秘的奢侈品’的观念。”插花时，最让林赛振奋的是各种花卉互相组合潜在的无穷可能性。而如今，这个过程甚至让她走出花田，感受新鲜的空气，在周围的世界寻找花卉的组合可能。“我觉得这让我的节奏慢了下来，让我看到以前经常忽略的小细节，让我欣赏那些小的瞬间。”一个邻居最近还给林赛一个花瓶并附了一张字条，“要是还你一个空花瓶，就太无趣了。”这位曾经告诉林赛自己对园艺所知甚少的邻居，如今已经在她的院子里种了一些芳香的紫罗勒结籽和一些粉红色的尼润，并把它们装在花瓶里。“这是我收到的最好的礼物”，林赛说，“我最欣赏她的一点是她会到户外去精心挑选她所能得到的东西。我告诉自己：‘这正是我所提倡的！’”

www.lindseymyra.com

这束大花束是为一个小型的冬季婚礼做的。或者说是因为每年冬季澳洲多雨的缘故，天空都是灰的，所以我想创造一些明亮的作品以呼应新娘年轻、无忧无虑的天性。由于冬季花田是农闲季节，鲜花的选择取决于我作为购买产品方的诚信口碑。我从当地农民那里购买了罂粟、紫罗兰、康乃馨、玫瑰和银绒，其余的花则在我和我朋友的花园里，甚至路边仔细地寻找。荆棘玫瑰红宝石般的茎，多肉植物的律动与六道木花萼的粉红色调构成了统一基调。这些植物提供深度和连着力，而本土植物则形成自然的悬挂，或成拱门形状。这些元素使花束散发出自由、狂野的感觉。”

“某一日，我内心的荷兰大师激发出了我的灵感。那是初冬，天空灰蒙蒙的，花儿也很忧郁。这个设计是为一个晚宴制作的，我希望它有一种亲密且戏剧性的文艺复兴的格调。灵感来自秋天的山楂树的枝条，我已经关注那棵树的枝条几周之久，并仔细观察枝条的姿态和光影；只有一些顽强的灌木仍然保留着树叶。金色的山楂果实也是整体效果必不可少的一部分。我非常兴奋能找到空间摆放这些极具表现力的小水果。这些草和种子胶也是在路边发现的，而郁金香、黄水仙和玫瑰是从当地种植者那儿挑选出来的，装饰整体设计的质感。当这些色彩组合到一起时，粉红色调的玫瑰是唯一我能给出的带有古董般光泽的花朵。最后，这种反差很好地映衬了晚宴的戏剧气氛。”

“这个小瓮盆景是为了我们工作室在当地活动展的促销活动而设计的。我认为把盆景像这样铺满是一个不错的设计。像这个小瓮一样低矮、宽颈的容器，需要大量的花才能显得丰满。这是一个单纯的‘多多益善’的例子。对我来说幸运的是，在这种情况下，我刚好有足够的材料来完成这件作品。这个作品的明星花卉是来自当地花园培育的桃红色杜鹃。粉蝶、女贞叶和暗色的子爵草也是从当地花园采摘的。家里的亲戚培育了一些牡丹（这是我们家族引以为傲的花朵，我也促成了这笔订单）！几朵玫瑰和双色的石竹是制作之前的项目时剩下来的，用在这里显得刚刚好。有牡丹的插花怎么样都好看，这使得插花的工作变得简单，当它们在当地的季节上市时，我立刻购置了一些带进作品之中。中国人喜欢叫它们‘花中之王’，这不是没有原因的。”

LOTTE LAWSON
LOTTE & BLOOM

洛特・罗森：洛特与盛开的花

英国

"在漫长的冬天之后，春天花朵的颜色和柔软的花瓣使人眼前一亮。此时，我把所有的嫩枝从枝干到末梢都剪下来，做成卷须，并和其他自然的曲线相衬相合，作为支撑该花艺主景观的框架。我用了连翘、红醋栗、莵葵、风信子、玫瑰和毛莨。"

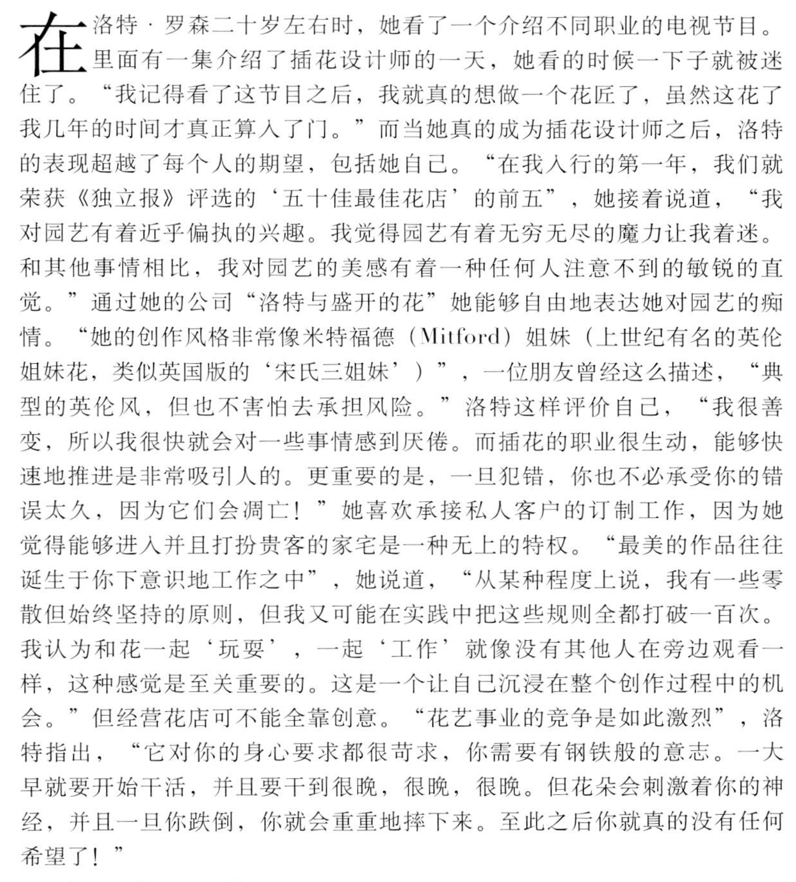

在洛特·罗森二十岁左右时，她看了一个介绍不同职业的电视节目。里面有一集介绍了插花设计师的一天，她看的时候一下子就被迷住了。"我记得看了这节目之后，我就真的想做一个花匠了，虽然这花了我几年的时间才真正算入了门。"而当她真的成为插花设计师之后，洛特的表现超越了每个人的期望，包括她自己。"在我入行的第一年，我们就荣获《独立报》评选的'五十佳最佳花店'的前五"，她接着说道，"我对园艺有着近乎偏执的兴趣。我觉得园艺有着无穷无尽的魔力让我着迷。和其他事情相比，我对园艺的美感有着一种任何人注意不到的敏锐的直觉。"通过她的公司"洛特与盛开的花"她能够自由地表达她对园艺的痴情。"她的创作风格非常像米特福德（Mitford）姐妹（上世纪有名的英伦姐妹花，类似英国版的'宋氏三姐妹'）"，一位朋友曾经这么描述，"典型的英伦风，但也不害怕去承担风险。"洛特这样评价自己，"我很善变，所以我很快就会对一些事情感到厌倦。而插花的职业很生动，能够快速地推进是非常吸引人的。更重要的是，一旦犯错，你也不必承受你的错误太久，因为它们会凋亡！"她喜欢承接私人客户的订制工作，因为她觉得能够进入并且打扮贵客的家宅是一种无上的特权。"最美的作品往往诞生于你下意识地工作之中"，她说道，"从某种程度上说，我有一些零散但始终坚持的原则，但我又可能在实践中把这些规则全都打破一百次。我认为和花一起'玩耍'，一起'工作'就像没有其他人在旁边观看一样，这种感觉是至关重要的。这是一个让自己沉浸在整个创作过程中的机会。"但经营花店可不能全靠创意。"花艺事业的竞争是如此激烈"，洛特指出，"它对你的身心要求都很苛求，你需要有钢铁般的意志。一大早就要开始干活，并且要干到很晚，很晚，很晚。但花朵会刺激着你的神经，并且一旦你跌倒，你就会重重地摔下来。至此之后你就真的没有任何希望了！"

www.lotteandbloom.co.uk

thefloralcoalition.blogspot.com

“简单来说，这些新娘手捧花束需要设计得十分柔软而优雅，并且能搭这款镶嵌珍珠的精致婚纱，形成相辅相成的美感。我选择了较小的大丽花，以免它的风头盖过其他元素。我也用到了萝摩，这使我总在和时间赛跑。我爱它含苞待放的样子，但它真的盛开了，又会看起来过于松软。我认为我在这里做得很好。此外我还用到了百日草、多头月季和橡树。”

“对于这个花台的设计，我用到了金光菊、齿丝山韭、芸苔、鸡冠花、飞燕草、千穗谷、朱蕉、绣球花和金盏花。我喜欢把热带的齿丝山韭与更传统的‘英伦’花卉结合起来。这听上去很离谱，但确实有效果。色彩如霓虹般艳丽；黑朱蕉可能在里面发挥了很大的功效。”

LUCIA MILAN
露西娅·米兰
巴西

和她的母亲，巴西圣保罗著名花艺设计师阿帕雷西达·海伦娜·莱米（Aparecida Helena Leme）相比，露西娅·米兰的花艺设计师的基因可谓显现得过于缓慢。“我的母亲总是在家里养花”，露西亚回忆道，“我们过去经常一起去花市，而我总会迷路，因为我总忍不住分心。”但是，尽管她母亲的世界总是直接暴露在她眼前，露西亚却不想去学插花设计。长大后，露西娅成为了一名时装设计师，而多年后的某一天，阿帕雷西达·海伦娜不经意地请她女儿帮她布置向日葵的举动，改变了露西娅的世界观。“那时候我刚结婚，时装设计那漫长而忙碌的工作变得越来越难以管理”，露西亚回忆道，“帮助母亲是我的一种突发奇想。我建议我们一起创业，且我再也不回去碰时装了。”当她觉得是时候发挥自己的创造力的时候，露西亚就开始了她的个人事业，这是“一次重大转变”。“我很喜欢自己做这些花艺作品：选择合适的花瓶，选定基调，处理花朵。我作品的招牌表现方式是我往往会把花弯向一边，或者做出前后观感截然不同的作品。”她补充道，“如果给我二十个银制玻璃杯来装饰酒店的餐桌，我会把它们每个都做得不同。”露西亚的作品比较接近于一种浪漫别致而又自然的风格，但没有追崇潮流或借鉴重复的模板。尽管她的作品深受名人婚礼或豪华派对的宠爱，露西亚却称自己是“一个嬉皮士”。“我的家即是我的避难所，亦是我的办公室。各种植物围绕在我周围。我的花园很圣洁，但有一只疯狂的鹦鹉天天会飞来，一群小狨猴也会天天过来吃午饭。”如果用一个作品来总结露西亚的哲学，那就是巨大而富有乡土气息的“网绳”吊灯——那是她和她的朋友门多萨（Mendonca）用花和丝线装饰的，给三只小鸟创造的一个临时的家。这个委托项目来自一个童装品牌的发布会，并且在宴会的尾声，这些鸟会在附近的儿童公园被放生，遂如大自然的意愿。

www.luciamilan.com

“这是为圣保罗马术俱乐部举办的婚礼入口做的设计，我们需要营造出醒目感。对于桌上的花瓶盆景，我们选取了经典的且鲜艳颜色，用到了粉色和青绿色的绣球花、玫瑰、金鱼草、六出花和其他的绿叶。我们还用棕榈树在高大的天花板下造了一条‘跑道’，以创造出一些自然的氛围并加深醒目感。”

“这些作品（此页和下一页的图）是为在圣保罗最知名的场馆Leopolldo举行的一场婚礼而作的。按照新娘的要求，我有完全自由的权利去创造优雅和温馨的花景布置。这些餐桌台面或被喷镀成镜面，或铺着黑色的布，都显得很优雅，但我又通过烛台、相框、盒子和其他物体的金色和银色营造出一些家庭般温馨的触感。我的第一个灵感是使用各种各样绿色的树叶，然后我加了一点点紫红色。我用了老的绣球花、千穗谷、热带沙球、龙血树和木兰树的叶子、胭脂树的种子、红醋栗和巧克力色的兰花。在每个单独的作品中，我用了异国情调的紫红色兰花来营造一种深奥微妙的氛围。最终效果超出了所有人的预期。”

“这个作品我是在一个大的玻璃容器里做的——在一个封闭但仍然透明并且顶端开放的空间里充满自然野性的作品。植物可以从杯口‘生长’出来。我喜欢干净的花瓶与乡土味的野花之间的反差，它既像博物馆里的艺术品，又像在实验室里发现的物件。这种作品制作起来就像制作一个手捧花束，但它被切得很短，从而可以保持直立。容器底部的水刚刚好能够滋养这些植物，即这些法国郁金香、黑色的马蹄莲、淡粉色的花毛茛、蜡花、野胡萝卜花、葱属植物、小米、黍草、珊瑚蕨、山萝卜和软羽衣草。”

MARTIN REINICKE
马丁·雷尼克
丹麦

那天，马丁·雷尼克在哥本哈根买下了自己的花店，他告诉他的朋友，“我的生命离不开鲜花。”“花棚”当然有陋棚的所有特征：篮子、木条箱和锡制桶里装满了精致的刚从农场采摘下来的鲜花，但它又是不普通的，它那自然的装饰被昏暗的围墙包围着的，是乡村古朴遇上都市时尚的风格。“我的插花技艺是自学的”，马丁说，“但我学过建筑、制陶和艺术设计，卖过家具，有自己的陶瓷生产线。这一切都归结于我对设计‘房间’的热情。这是我技艺的动力，不管是设计家具摆设或是设计花艺空间。”马丁的每一个作品都仿佛是植物的小型管弦乐团，每一株花都不可或缺地发挥着它的作用，就好像马丁始终想要通过他自己的想象力，创造一个迷你生态系统。“处理花卉就是要处理一些完美的东西，最大的挑战是不要过度设计”，马丁指出，“我几乎从不改变材料，我也避免建造一些支架或容器。大自然是完整的，脆弱的，所以我会更加注意，也更不愿意使自己完全沉浸在创造的过程中。”然而，仍然有一件事情是马丁紧紧抓住的，那就是他强大的美的感受。“我试着对所有事物都施加我的‘美丽魔法’，所以我对于它们的外观完全负责。我是一个视觉艺术家，是一个充满激情的美学倡导者，如何使一件事物看起来变得更伟大、更愉悦、更有趣或更不同寻常，而不是变得更沉闷或更丑陋，是我最关心的事情。”接到项目时，马丁与他的客户密切合作，但他的出发点总是鲜花、树枝或叶子本身。“我通常都是出于我自己对作品需求的理解而摸索的，所以我事先并不知道作品最后的样子。我像一个抽象派画家。我不画草稿，这一切都从我脑海中倾泻而出。再加一句，我设计的关键词是‘庆祝’生活！”

www.blomsterskuret.dk

“我插起花来变得越来越放松和随意了。我试着让花儿告诉我它们自己想要摆成什么样。这是在我创作过程中减少管理的一种尝试。”

ONSDAG
TORSDAG
FREDAG
LØRDAG
SØNDAG
NÆSTE ONSDAG
NÆSTE TORSDAG
FREDAG
NÆSTE LØRDAG
NÆSTE SØNDAG

“我喜欢把自然带到城市环境中营造一组特别的组合：一方面是水泥、玻璃、砖块和‘垃圾’，另一方面是野草、药草、蔬菜，当然还有野花。这两者的组合对许多城里人，包括我自己具有很大吸引力。左上图的密集排列的小盆景——《葡萄酒罐的小幻想》——是在我哥本哈根市中心的家的后院里拍摄的。这个地方就像一片森林，四周都有不同的纹理，而右上图的部分则代表着生长在森林里的春季的花朵。这个设计用了不同生产阶段的植物：罂粟、莲蓬、野胡萝卜花、贝母、正在发芽的绣线菊的嫩枝、一朵雪球荚蒾、珊瑚蕨和加莱克斯草的叶子。”

“这个酿酒陶罐里紧紧绑着的小花束是由洋蓟、软羽衣草、葱、霍滕西亚（绣球花属植物）、野胡萝卜花、一对小红草和一些从顶端戳出来的温柏树枝组成的。这件作品非常具有乡土气息，并给人一种秋季的感觉。我喜欢在这个季节收获的各种水果、浆果和入冬前的蔬菜，如甘蓝甜菜和芜菁甘蓝。每年这个季节，大自然赐给我们各种色泽深现光亮的食物过冬。”

“在我店里的一隅灯笼旁边挂着一株毛茸茸的橄榄色芦笋蕨。在一些含苞待放的山茶花旁边的镜里映射着一株秋海棠。在一个罐子的旁边休憩着一篮子有眉条的藜芦，粗糙的铁架子上支撑着一块风化的木头，这是从我的凉亭附近的谷仓建筑公司那里捡到的。我喜欢把近乎荒芜的元素带进室内，以代表外面大自然的美丽和严酷。”

MAURICE HARRIS
BLOOM & PLUME

毛利斯·哈里斯：绽放和羽毛

美国

如果你想让‘绽放和羽毛’来为你的婚礼或者其他活动布置花景，你就可能要求毛利斯·哈里斯——‘绽放和羽毛’花店的主人和非凡的花艺设计师-加入你的设计团队。这个充满激情的且打扮精致设计师有着一个完美无暇的审美风格。“我会说，我最出色的天赋就是我的眼睛”，他承认道，“我一直在寻找一些其他人不会注意到的东西，并且我会把它们真正的美表现出来。”他那奢华却仍有克制的表现如变戏法般营造出纸醉金迷的梦境和新古典主义的浪漫。“你一定会在我的作品中找到一根羽毛或者类羽毛装饰物，而且最近我一直在尝试草药作为一种新式的绿色植物理疗法”，他说道，“造型也扮演着重要的角色。你会经常看到低重心和长边的设计。”毛利斯的祖母是一个女帽贩卖商兼插画设计师，毛利斯年少时就以她为榜样。他先是在洛杉矶的奥蒂斯艺术与设计学院学习艺术和时装设计，而后，先后在比弗利山庄的巴尼斯纽约精品店和橘滋的展览部工作。“这两个工作经历都帮助我透过不同的滤镜来展示我的设计想法，这就解释了我如何与客户一起工作并把他们的想法带到现实之中。我也学到了很多关于管理的知识，这是做生意的一个重要组成部分。”令人惊讶的是，毛里斯从事花艺设计只有短短不到十年时间。他的方法是设计作品时，先选择合适的容器和作为基底的绿色植物，然后在它们的基础上提供有趣的部件，再后选择一朵花作为“主唱”。“在巴尼斯”，他回忆道，“我们的老板总是强调要让服装做它自己想做的事。同样的道理也适用于花朵。”毛里斯有很远大的志向，他很想成为鲜花的“导演”，“为一场‘大都会舞会’或‘高级时装秀’布置花景。虽然我最私密的梦想其实是做最后压轴的芭蕾舞演员，或者选美大赛的冠军！”

www.bloomandplume.com

“芳香的绿叶植物能提升哪怕最简单的盆景格调，所以新鲜的花园药草在我的工作中占了很大的比重，没有什么比这更浪漫了。上图主要用的是黄色的花园玫瑰配合了月桂树的叶子和水晶。”

“色彩、纹理、造型和尺寸都是需要完美平衡的东西。我也喜欢对比布置，所以在我的作品里，你常常发现一些柔软而精致的东西，比如说牡丹，在其旁边有一些有点儿危险的东西，比如说蓟。而找到这种平衡是最困难的。”

“我的许多作品都植根于传统的花卉品种。但是，我会把几种非常规的花卉组合在一起，并且突破传统的形状，引用过去的款式而不局限其中。这里的植物包括白玫瑰和银叶桉树。”

“我认为纯植物的布景是最复杂、最难的。通过设计绿植物的质感和体量，绿色可以变得比以鲜花为基础的布景更引人注目。这里包括银叶桉树、绣球花、月桂叶和夕雾。”

“插花的乐趣之一就是探索。我喜欢让我的作品给人一个整体的印象，但惊人而微妙的元素只有经过更仔细的观察与思虑才会显露出来。这里包括传统绣球、本地绣球、景天和鸡冠花。”

“我喜欢用同一种花的不同颜色作为一件花景的色调基础。就像一个沉思的主题，色系和造型提供了我想要的艺术结构。这里用到了菲斯玫瑰和薄荷。”

“我喜欢用一个大胆的表象来引人眼球，但接着你会接触到更多微妙的细节。在你欣赏我的作品时，我希望你每次回过来都能看到新的东西。”

欣赏目标的内在美，提高它们的格调，使它们更加美丽，是日常生活中崇高的一面。这个观念似乎在日本人的心里根深蒂固。实际上，这是细沼光则的哲学，也是他以此来大规模实践的准则。“花艺很重要的一点是把鲜花本身的美丽展示出来，而不是束缚它们使其变得不像花”，他说道。以他创造的品牌“花广”来说，细沼先生在东京市中心、大阪和福冈都开设门店，并且在夏威夷也开设了一个新的分店，所有店都致力于传达花店主人的独特理念。细沼光则本人出生于园艺设计师世家，但他也在伦敦和巴黎留学过，并一直小心翼翼地经营着自己的事业，从而使他可以沉浸在另一项挚爱——旅行当中。他的公司已经经营超过了二十五年，不断经历挑战。“花在日本很贵”，他说道，“分销、人工和运费燃料成本巨大。”然而他仍然通过坚韧的环境适应能力，建立了自己的小帝国。“以前的流行趋势是把五颜六色、各种不同物种的花朵摆在一个作品中，但现在是‘精简为上’。”每个花艺作品都由细沼先生亲自指导，并提供招牌的花瓶，而他忠诚的团队则严格执行他的创意想法。“我们的工作包括承办各种婚礼的花景设计，完成新娘和新郎的所有不同的需求；我们也做聚会和酒会，其中包括最近为一位著名的歌舞伎演员和另一位足球巨星的派对做的花艺布置。这一切都使我塑造成今天的样子：一个创造家兼经理人。”秉承着“侘寂”的理念——一种盛载着残缺美与怜悯心的审美观，细沼先生说：“我可以用一朵花或一片树叶来做出一部作品。”但他也会尝试新的审美潮流（“当我第一次使用钻石玫瑰的时候，我感到很紧张”）。他的才华、勤奋和雄心已使他成为日本最令人钦佩的花卉企业家。

www.hanahiro.jp

“我的旗舰店坐落在东京的丸之内区——一个非常成熟的购物区。这里的理念是售卖日常使用的花、给特别之人的礼物、以及为新客户定制新产品。”

MITSUNORI HOSONUMA
HANAHIRO
细沼光则：花广

日本

“我总是在最后一刻开始工作。我不打草稿，一切计划都在我的脑海里，所以我的设计总在不断与千变万化的设计潮流竞争。花卉装饰的艺术不仅仅是创造一些具象的东西。我认为花一定要传递出感情。”

“在初夏装饰东京文华东方酒店的大厅时，需要有大的树枝和色彩明亮的花朵。我总是认为，在一个有很多人聚集的地方，花景的设计一定要鲜活并引人注目。”

“对于这个婚宴的花艺布置，新人的主桌（下图）的核心设计风格是中间用白色的百合、玫瑰、桔梗花，搭配一些绿色和一点点紫色。日本花艺设计最流行的颜色是白色。婚礼中央的花景（对页图）会很高，因为那家酒店的天花板很高。所以我们用了长型玻璃花瓶和长枝条的花景。这座大型花景装饰主要是想让客人一进房间便留下深刻印象。”

橘
吉田義行様

“这个作品包括帝王花、玉兰、多肉植物、木百合、婆婆纳、足球菊、玫瑰、天竺葵的叶子和蒲苇。一位顾客为他的妻子订购了它，以庆祝他们的结婚纪念日。那颜色和感觉与他们几年前的婚礼主题色调一样。”

MORGAN PERRONE
VALLEY FLOWER COMPANY

摩根·佩洛斯：山谷鲜花公司

美国

如果你在佛蒙特州的怀特河章克申街的人行道上偶然发现一个散射状的玫瑰花瓣的时候，我劝你停下来，因为你走到了盖茨街九十三号——山谷鲜花公司的总部。进入公司并认识一下摩根·佩洛斯，一个自称“古怪”的主人吧。“一位戴着古怪的帽子，穿着珠光宝气的服装的老女人是我的非官方形象”，她笑道。在花艺作品中她熟练运用造型和色彩，创作出全新的表现风格使得她的每件作品都颇具吸引力，她的每一朵花都是客人的潜在选择。“我唯一的规则就是没有规则”，她说，“我工作起来是相当快的，因为很多时候客户都是直接站在我面前看着我做，所以我会在那会儿干活，做出最棒的设计。”摩根小时候住在林间一座长满高高草丛的城堡里。“我总是被大自然所包围”，她坦言道，“我还记得在我非常小的时候，我会看蜜蜂在我们家后院盛开的花和浆果树丛之间来回飞行，并惊叹于花的复杂精致。”她作为一名园艺设计师的目标是创造出忠实于自然主义的，并带有一点点不完美的作品。“我喜欢看着一个作品，确保没人将这些花变得面目全非。我喜欢‘花就是花’”，她说道。虽然她的个性和做事方法轻松随和，但是工作时她始终保持专注。“很多人认为，做一个花匠是‘轻松’的，甚至有人更过分地说，这根本不是职业，只是一个爱好，但我们要做的就是努力工作，你需要真正的激情和奉献精神才能做得很好。人们通过你把深奥的想法翻译成易懂的视觉媒介，这是一个非常具有挑战性的工作。”当被问到她的下一个计划是什么的时候，摩根大笑着回答：“想要好好睡上一觉，然后去度假。”

www.valleyflowercompanyvt.com

“这些婚礼花景是为一对想要把男方的印度教文化和女方的新英格兰文化结合起来的夫妇制作的。我精心挑选质感、颜色和花语来暗示传统和文化偏好。我们用了大丽花、月季、蒲苇、吊苋、粉蝶、金盏花、雄黄兰、紫盆花的荚、时令浆果和绿叶植物。”

“这件作品是为一个家庭聚会而设计的，放在他们宴会入口的桌上。客户想要一些有趣、休闲，并带点乡村气息的元素。所以我们用了粉貂山龙眼和针垫山龙眼、风铃草、毛茛、银莲、金丝桃果、米花和一些季节性的绿叶。”

“这些花艺是为某公司颁奖宴会设计的。组织者希望用一些优雅，但富有弹性且当季的花卉。我们用了紫罗兰、雪叶莲、风信子、蒺藜、绣球花和夕雾。”

NAZNEEN JEHANGIR
LIBELLULE

娜兹宁·贾汗季：蜻蜓

印度

把艳丽的花卉，放在黑灰色的背景墙对面光滑的黑白容器里，是对“矛盾”一词最完美的诠释：“粗犷又精美”。作为这些作品的创作者，娜兹宁·贾汗季说：“淡灰色是一种我非常喜欢的底色，虽然我也爱郁郁葱葱的绿色。我曾经对色彩和结构非常厌恶，但现在我用得很多。”她的店，“蜻蜓”坐落在孟买的时尚乐磨概念店里面，那是一栋带抛光的混凝土门厅的敞开式的盒型建筑。淡淡的工业风，大黑框的落地窗，瓦萨雷里风格几何图案的地板和开放的天花板都散发出冷艳和奢华。每个设计最终都会呈现出一种在现代画廊里艺术品的质感，虽然娜兹宁实际上是受不同的艺术形式启发。“我以前学过古典舞蹈”，她解释道，“线条、控制和优雅也是花艺设计的一部分。以舞蹈来说，艺术应该显得轻松自如，但轻盈曼妙的舞姿深处蕴藏着伟大的思想。”娜兹宁曾经经营过一家旅行社，并且也是同名展会设计公司——蜻蜓的老板，这两项种经历也被证明是无价的。“我擅长处理物流，而这对于一个需要不停更新以确保最新鲜产品和最优价格的行业来说是至关重要的。关注细节也有助于培养和提高我的审美。”花卉艺术在印度仍然处于萌芽状态，这给她带来了不少挑战。“很多在欧洲很普遍的花在我们这里都没有听说过，所以我们不得不进口，而且我们这里的碳排放不容忽视。然而，我们正在付出越来越多的努力，试图让全世界的花卉能够在我们本地种植。我们想推销本土的季节性花卉，比如晚香玉、茉莉、拉曼草、莲蓬和香蕉花。”“蜻蜓”在观念的转变上走在前列：“在我的第一个展览上，一个男人走过来对我说，他是被他老婆拖过来的，但他却从未想过鲜花在印度也可以这么朝气蓬勃和生动夺目。”娜兹宁正继续朝着她的伟大梦想而努力：“我梦想创造一株杂交的玫瑰品种，名字就叫‘蜻蜓’。”她的热情极具感染力，她和她的团队无疑对灿烂的未来做好了准备。

www.libellule.in

“我在焦尔集市（孟买有名的‘小偷集市’）逛街的时候偶然发现了上图中黄铜茶叶罐。它坚毅的外壳被里面的绣球、丝带草、茜草和香水风信子的衬托下变得温柔了许多。右上图的盆景是为一个叫《挑水人》的展会而做的。参展商受邀使用传统印度物品——比如这个长柄牛奶量勺——然后通过自己的创意去重新诠释，以展示出生活中无处不在的美。这件作品我用了乡村玫瑰、六出花和仙羽蔓绿绒。”

“可爱的奶油搅拌机里放着蜻蜓兰（中图）。左图里的洋油罐也是在焦尔集市淘来的，里面插着百合、独尾草和一种印度土生土长的槟榔树。对页图那个经过粉末涂层的奶罐切实表达了现代印度城市设计，也在《挑水人》展会上展出过我精心挑选了连翘、独尾草、鲍伐德属灌木花和山龙眼”。

“我爱铜及它那抛光般明亮的温暖。我们在孟买的街旁发现了一家小型五金店，店主是一个特别有魅力的男人。我们从他那儿购买并‘拆解’了一些铜线，以装饰这些着蓝色鸢尾花和兰花‘暖气片’花瓶。”

“我们用多种香型的狼蛛百合和金盏花来制作这款印度婚礼正门的花景设计。和家门相比，宴会地点的正门设计是至关重要的，因为它象征着欢迎进入一个家庭。事实上，欢迎仪式经常在大门旁直接进行。”

OLIVER FERCHLAND
奥利弗·费切兰
德国

人们看奥利弗·费切兰的作品越久，就越能感受到他如雕塑般的表现力。他精心设计的结构或者形似如奖杯，或者如造型奇特的容器。“对我来说，花艺设计是不同领域的交叉学科”。他说道，“这就是为什么我花大部分时间，而不是全部时间去处理鲜花。因为还有许多其他优秀的素材和表现形式。我会把豆芽放进新娘的花束，用树脂玻璃板作为野生花卉的供水槽，最后用原钢来装饰门面。总的来说，花艺景观设计里，我热衷于建造东西，而不管有没有花。”奥利弗在建筑学和自然学，特别是微生物学中找到特殊的灵感。他一直想在一个创造性的行业里工作。当他只有十四岁的时候，他参加了一个学徒计划，然后被带到一家花店实习。“最终，我把所有空闲的时间都花在那里，直到我从初中毕业”，他回忆道。他随后冒险跨入了时装设计行业，他无中生有地造出了用白纸做的特制婚纱，直到今天，仍以之为名。“但几年前，当我参加德国国家花艺锦标赛时，我的工作方式发生了巨大的变化。为了准备那场比赛，我设计了一种更自然的工程结构，然后一切就变得水到渠成了。”在声名鹊起后，奥利弗承接了包括巴林皇家婚礼的花景装饰，以及更常见的季节性设计和以展会为主导的公司项目设计。奥利弗的设计方法是这样的，他首先确定一个核心理念或一种核心素材，然后在几个实验性想法并行推进，以确定最终结果。当结束润色的时候，他马上就明白各个要素是相互融合还是格格不入。“也就是认识到每样事物都摆放得恰到好处时，我总是说花应该会自由地‘跳舞’。”这就是奥利弗的杰出成就。他的作品总是有一种可以让周围人定格的气氛，仿佛他已经冻结了时间，保留了其中的优雅。

www.facebook.com/oliver.ferchland.3

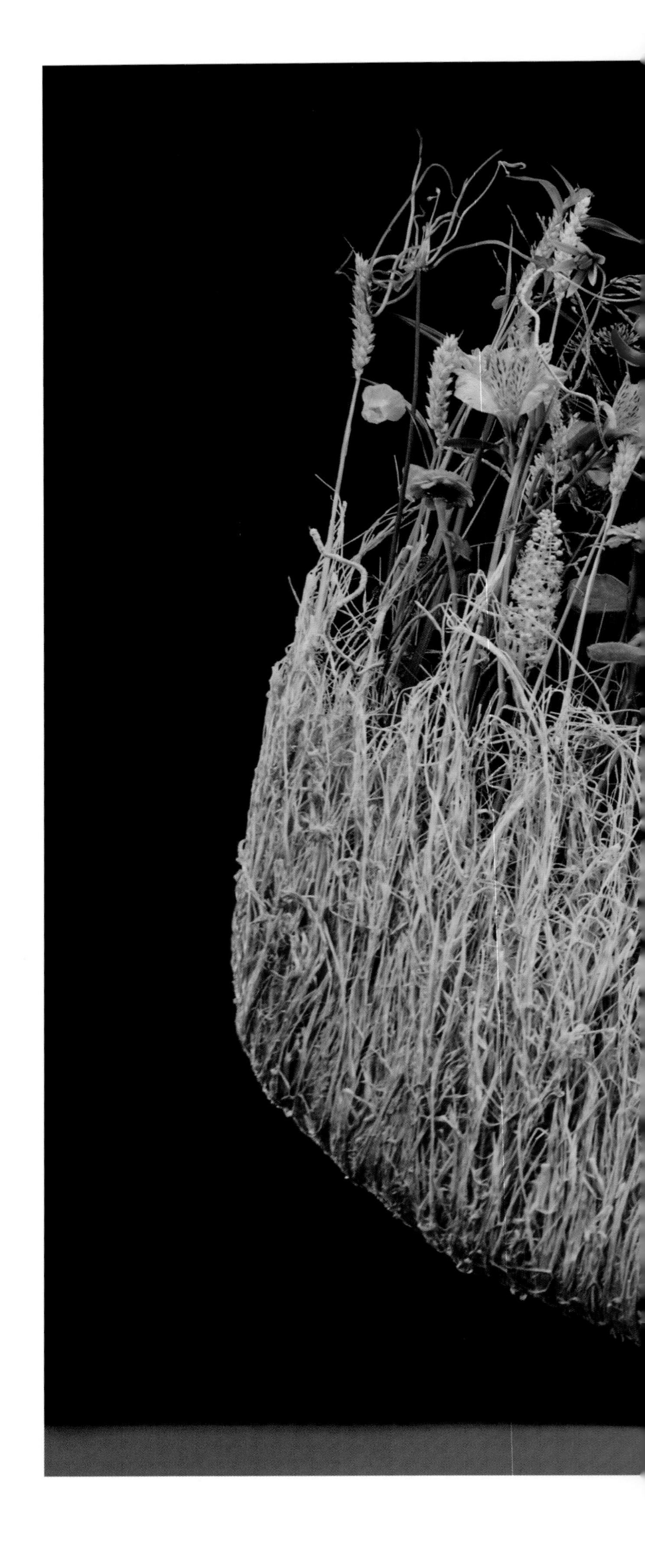

“这一作品的灵感来自于有机小麦田。鲜花有规则的排列意在给人一种以含蓄的印象。使用的素材包括干小麦、葱、宫灯百合、嘉兰百合、珊瑚、百日草、石竹、黄栌、莳萝、六出花、大阿米芹、拟天冬草、商陆和黑莓。”

“在开始创作之前，我往往已经在脑海中想好了它的大致轮廓，但大自然充满着惊喜，有时一些材料会带来十分独特的、与众不同的东西，让我改变最初的计划，让自己自由发挥。”

“我一直对艺术中的物体的描写很感兴趣。大尺寸的作品能在房间里营造出它们自己的氛围。对页图里这个自制的‘花瓶’是一个从中轴投射出的圆盘的形式。这种横向投影赋予物体特有的活力。这种款式的容器应该像屋里的一座孤岛，装饰着如森林般繁茂盛的鲜花，所以我使用了似乎违背万有引力定律的重量级材料。花卉则包括野豌豆、商陆、石竹、黄栌、福禄考、金钱草、大阿米芹、紫钟藤、欧蓍草、文心兰和黑莓。”

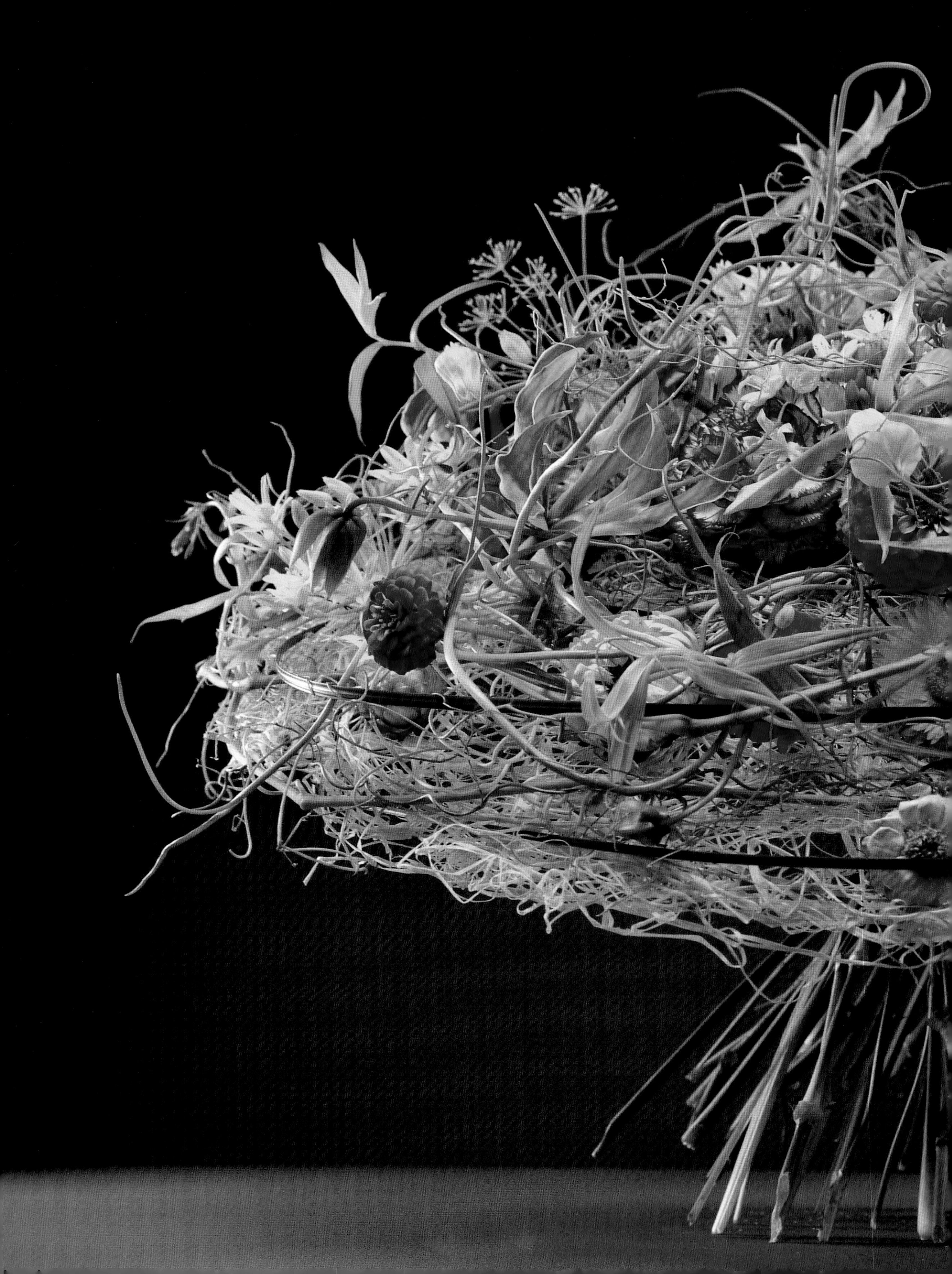

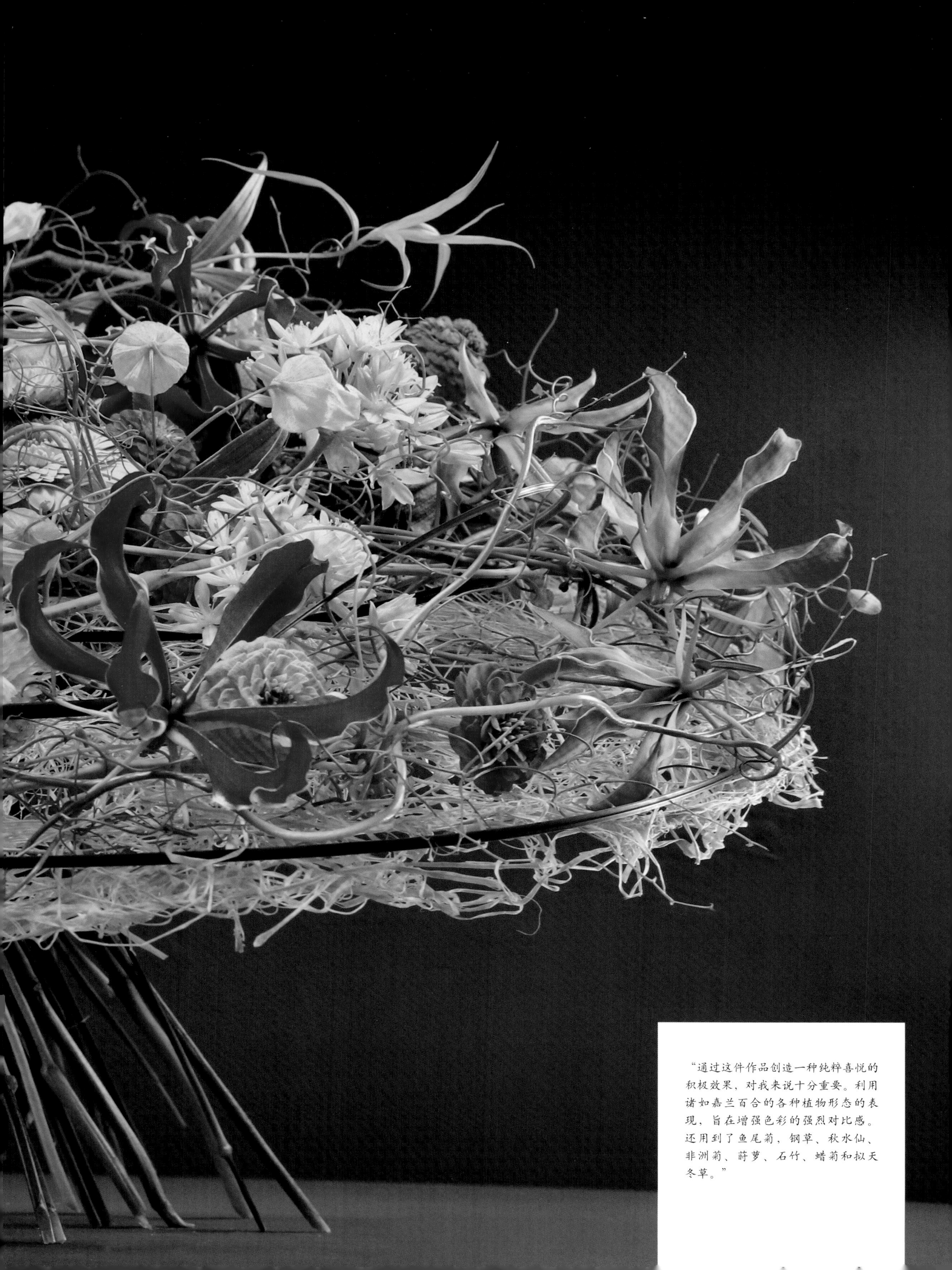

“通过这件作品创造一种纯粹喜悦的积极效果，对我来说十分重要。利用诸如嘉兰百合的各种植物形态的表现，旨在增强色彩的强烈对比感。还用到了鱼尾菊，钢草、秋水仙、非洲菊、莳萝、石竹、蜡菊和拟天冬草。”

“这件作品本身就是一株植物，其目的是营造一种卷须缠绕着植物的边沿，仿佛伸手给自己呼吸空间的印象。灵活的外部框架也是要强调它能自由地摆出各种造型。用到的花有文心兰花、钢草、花烛、葱花、诚实花、黑莓、商陆以及熊草。”

REBECCA LOUISE LAW

瑞贝卡·路易斯·劳尔

英国

“我喜欢挑战易腐烂、娇嫩的、有生命力的材料；事实上，我有一个机会把它做好。玫瑰可能是我的最爱。它们有这么多颜色可供搭配，我喜欢它们的香味，也爱它们美丽的荆棘刺。”

花是艺术家们想要探讨生死的最理想的意象原型。瑞贝卡·路易斯·劳尔就是其中之一的艺术家。她的理想是想要向世人诠释：花的生命的每一个阶段都应该被欣赏。“我的作品被认为是挑战传统美学的，因为我会使用凋谢的花朵”，她指出，“有人说这是令人敬畏的，是震撼人心的。”瑞贝卡住在伦敦东区的哥伦比亚路，在那里每周会举办一次著名的花卉集市。瑞贝卡的家庭生活充满了绽放的花、凋谢的花和人造花，她家几乎每一面墙上都挂着巨大的鲜花绘画作品。她生活和呼吸都离不开花，就好像她是天生要干这一行似的。“我家六代人都是园丁”，她透露道，“我的祖母和姑妈也是画花卉的，她们鼓励我也这样做，我的父亲是英国国民托管组织旗下的首席园丁，同时也是一个极具创造力的自然艺术家。”瑞贝卡想做一个花卉艺术家的决定可以追溯到她大学时代。当她学习美术时，她“用花代替颜料”。她继续着花艺之路，成为了麦昆的高级花艺设计师（见170页），在那里她学到了经营管理和奢侈品展会策划的珍贵知识。她现在在哈克尼经营了一个工作室，享受着新材料和创意试验，包括使用铜线去悬挂布景（“它和干花产生美艳的对比”），并加入了特制的鸟鸣装置。知名的承接项目包括爱马仕在伦敦皇家歌剧院举办的《空中花园》展，“用了七千朵花，四十个品种，二十名员工，二十个小时和几个月的规划。”她在伦敦园艺博物馆建造的“玫瑰”花景，让她收获了持久的掌声。正如她所说，“我最终希望尽可能多的人都能够切实地体验花朵。”她那感性的花墙和天空，鼓励着观众成为她作品的积极参与者，是真正让人难忘的。

www.rebeccalouiselaw.com

“右图的作品是为英国剑桥的酒馆画廊举行的个人展览而做的。一盏吊灯上面挂着各种不同的花。”

piriteze
allergy tablets

“来自欧洲各地的艺术家聚集在一起，合力创造‘生态艺术”景观。该项目旨在通过艺术刺激意大利阿布鲁佐大区的旅游业。我代表英格兰，在研究公社工作。我与代表挪威的海迪·卡斯特伯格（Heddy Castberg）一起做了‘拱门’这个项目，用了从阿布鲁佐大区国家森林公园搜集而来的枯枝和苔藓。”

“‘鸟巢’作为该项目的一部分，有两个目标：一是鼓励城市儿童接触大自然和天然材料，二是让主流学校和特殊学校的学生通过艺术联系到一起。我和圣飞利浦小学以及格兰塔学校的孩子们一起，完成了四件落地花景。我们所有的作品用的都是从安格尔西修道院的锄坟森林里采集来的枯枝和苔藓。”

“在伦敦园艺博物馆举办的‘花卉文化’展，旨在研究探索肯尼亚玫瑰产业和玫瑰的公平贸易。我使用捐赠的物资设计了一个定点的花景，包括新考文特花园花卉市场捐赠的三千五百朵玫瑰。每一株都被铜线挂着，连接到一个钢质框架结构之中。”

IHS

SARA JOHANSSON

莎拉·约翰逊

瑞典

“在这件作品中，我用了不同品种的郁金香、玫瑰、绣球花、桔梗、菊花和康乃馨。通过混合不同深浅的粉红色和不同形状的花使这个作品更加和谐。这是一件浪漫的作品，在大多数场合都适用。我经常给我承接的酒店项目做这样的设计。”

五岁时，莎拉·约翰逊在上学的路上亲手采摘了鲜花，并做成小花束献给她的父母。她父母那时候就坚信她将成为瑞典最受欢迎的花艺设计师。她永远充满激情。“在我青少年时期，我在逛一个精美的花店时，店老板让我相信我自己，并鼓励我申请在诺尔雪平的名校，从那里我以优异的成绩毕业。”莎拉目前的作品，有着成熟设计师的一套完备的方法论，但似乎又保持着新鲜的触觉和童年的纯真。“我已经在这个行业工作了二十多年”，她说，“我开了自己的店，成长为一个有许多招牌性的大胆创意的花卉设计师。迄今为止，我最大的成就是为过去十年在市政厅举行的所有典礼布置鲜花。这是一个巨大的荣誉。”此外，莎拉还多次为斯德哥尔摩沃尔特奖提供花景布置。她把她对插花技艺的热爱归功于她在形状、颜色和材料方面的选择十分自由，没有任何限制。“每朵花都不同，所以每件作品也都不同。永无止境。我昼夜不停地思考花的姿态和布置它们的无穷无尽的选择。”但是，无论莎拉的作品多么奢华或富有戏剧性，在完成了抓住心灵相通的瞬间之美的创作之后，她又会去渴望新的创作。她懂得花语，住在一个被鲜花包围的家里，不管是在室外（她的花园）还是在室内（她的卧室和浴室里摆满了花瓶）。“每一季我都有特别喜欢的花。在春天我贪恋小鸢尾和葡萄风信子，在夏天我沉迷于牡丹和月季，在秋天我酷爱收集菊花，因为它有无数个品种。”莎拉向往的人才，有丹麦的塔格·安徒生（Tage Anderson）、德国的格雷格·莱尔施（Gregor Lersch）和英国的宝拉·普莱克（Paula Pryke），但她应该知道她自己也是灵感的主要来源。

www.personligablomster.se

www.personligablomster.wordpress.com

“下图的作品我用了非洲菊、嘉兰百合、罂粟花、绣球花、康乃馨、玫瑰和柳树枝制成。在令人激动的工作中寻找一个倾斜的平衡点是我乐意去做的一项挑战！”

“我也喜欢布置很多个小花景。在这里我用了由紫到粉，深浅不同的康乃馨，并用亮橙色的非洲菊、嘉兰和文竹与之产生强烈的对比。我喜欢制作紧凑的圆形模型，在上面你可以搭配不规则的形状来创造真正美丽的艺术品。”

SARAH WINWARD
HONEY OF A THOUSAND FLOWERS
莎拉·温沃尔德：千花之蜜

美国

“我经常受到一朵花的启发，从它的颜色和形状中寻找线索，选择与之相衬的花，然后围绕它制作花景。第二朵花决定作品的方向上扮演者重要的角色；它就是‘十字路口’。其余的则在颜色和质感上扮演着重要的角色。最后一小撮花我会在完成时加上这一笔。”

从事插花工作可能和父母照料婴儿有惊人的相似之处。“作为一个母亲”，莎拉·温沃尔德说，“你要抱紧你的小孩，你会闻他，你会研究他身上的每一个部分，因为你知道他们很快就会长大。我想在处理花卉的时候也很紧张，因为我试着尽可能地欣赏它的每一点。”这位来自盐湖城的自学成才、备受追捧的花艺设计师对设计的核心很有主见。然而，她成功的道路并不平坦。在爱上阿拉伯语后，她学习了中东和国际关系。然后她在花卉行业从事客服工作，而不是为她自己服务。但是，在帮助一些朋友的婚礼设计并布置花景后，她就开始为自己插花，从未停歇。她在摩洛哥旅游时想好了花店的名字。“我丈夫和我拜访了一个养蜂人，他沿着阿特拉斯山一路上上下下地运送蜜蜂，以便它们能在每个地区盛开的花朵中采集最新鲜的蜂蜜。我们品尝了他的橙花蜂蜜、百里香蜂蜜和仙人掌蜂蜜。当我们告诉他我们也养蜜蜂时，他问我们做的是什么味道的蜂蜜。我不知道阿拉伯语中的“野生”这个词怎么说，所以解释说，我们的蜜蜂从我们家所有的花中提取花蜜，因为我们生活在一个城市里，那里没有农作物。他说，在阿拉伯语中，他们称之为‘千花之蜜’。我立刻决定那就是我花店的名字。我越想越觉得这个名字描述了我的工作。我的作品是我周围一切的反馈，既是字面意义上的，指我所使用的花，也是隐喻的，指所有使我成为如今的自己的东西。”自然状态的花最受莎拉喜爱。“我住在落基山脚下，我也有一个宽敞的花园，让我可以在那里疯狂地奔跑。”这位自信的创作者，喜欢在压力下努力工作（“这是我最大的长处，也是我最大的弱点”），继续以她自己不羁的自然主义天赋努力着，超越一切梦想和期望。

www.sarahwinward.com

“这个作品包括毛茛、流沙玫瑰、茉莉藤、蓟和紫草。色彩组合的灵感来自于所有集中的花朵之间细微的色彩变化。朴实的奶油色和淡紫色的色调，一点一点逐渐变淡。”

“右图的作品，有着女性化的色彩和细腻的质感，主要精选了毛茛、甜豌豆、铁线莲、山萝卜和铁线蕨。这种组合很野性，灵感来自于晚春和初夏的最后几个月，那时整个山谷开始开花。下图是一个使用日本枫树作为基底的花景。在夏末的几个月，日本枫树的小叶子完美地分布在分层的树枝上，展现出最美丽富饶的绿色。花景里的其他花朵包括毛地黄、风铃、玫瑰和茉莉藤，以及从我的花园里采摘下来的矾根植物。对页图是一组组合，包括一些我喜欢的初春花卉，比如蒐葵、毛茛、贝母、樱花。春天绽放了微小的花朵，其中有许多复杂的细节值得留意，如斑点花瓣和华丽的雄蕊。”

“很多春季花卉的色调都是朴实无华的。我认为加入它们能使得欣快明亮的春季盆景添加一抹深沉忧郁的元素。这个作品用到了香水玫瑰，贝母，毛茛，樱花，绣线菊，莼葵，以及天鹅绒。”

“罂粟是最令人愉快的花。有时候你不能刻意给它们摆出某种造型，所以我让它们自然表现。在这部作品里，从意大利进口的罂粟配上葡萄藤。我让它们在一个老式香槟桶里随意生长。”

“这盆花景精选了夏天盛开的鲜花、以及娇艳欲滴的浆果色调，使用了月季、大丽花、铁线莲和茉莉花藤。我想像着这些花完美地放置在一个花园里，看上去好像它们直接从泥土中来到了花瓶里。”

SASKIA DE VALK
VLINDER&VOGEL
萨斯基亚·德·沃克：蝴蝶与鸟

荷兰

“夏末的鲜花，被单独选出来展示。这些花存在于荷兰人的潜意识记忆中，被闻着，被采摘，看着它们在祖母的花园里成长着。粉红色的是大丽花、波斯菊、百日草和怀旧情调玫瑰，橙色的是火炬花和金盏花。”

通过感官来传递灵魂的插花艺术，是萨斯基亚·德·沃克的专长。她的作品如同上帝的造物，是她所谓的“日常美”的微妙视觉隐喻，或她所说的“从平凡的事物中制造出美丽的东西，比如把荷兰芹的长茎插进田野花束中，在没有一片多余叶子的每种元素之间留有气味和空间”。这种实践是萨斯基亚所倡导的城市农业体验，有机花卉的生长或循环：“我会把凋谢的花朵用金丝线缝在画布上，或把它们风干放进小花瓶里，或让艺术家们拍照或干脆把它们丢在花园里制成堆肥。”萨斯基亚一开始接触插花，是某天帮别人在她最喜欢的有机花货摊站摊。“我爱上了插花，并最终决定在花店工作。”2010年，她与平面设计师朋友开了家网店，策划各种与大自然相关的美丽事物。“我们接受的第一个委托是在一项设计活动中给我们的商店做展演。我们没有足够的产品来展示，所以决定用当时阿姆斯特丹附近盛开的花朵做一个花卉景观”，她回忆说，“我们用颜色渐变排列数百个实验室的试管来展示花朵。它看起来很棒，我认为这是我真正体会到鲜花力量的时刻，值得铭记。”一年后，萨斯基亚建立了“蝴蝶和鸟”公司，出售手工制品，如“花卉实验室II”，有一面由插单株小花，或订购花卉的实验室试管并排挂放的墙壁。我们毫不惊讶地发现，萨斯基亚在工作时喜欢听古典音乐，而且她尤其喜欢编导兼舞者皮娜·鲍什（Pina Bausch）的作品。“她经常能充分使用基础的资源，在《康乃馨》（Nelken）里，她的舞者们扮演着一大片的康乃馨，在《春之祭》他们扮演了真正的红土。”萨斯基亚的作品也一样，能放射出最纯洁的光芒，让时间都魔幻般地停止。

www.vlinderenvogel.com

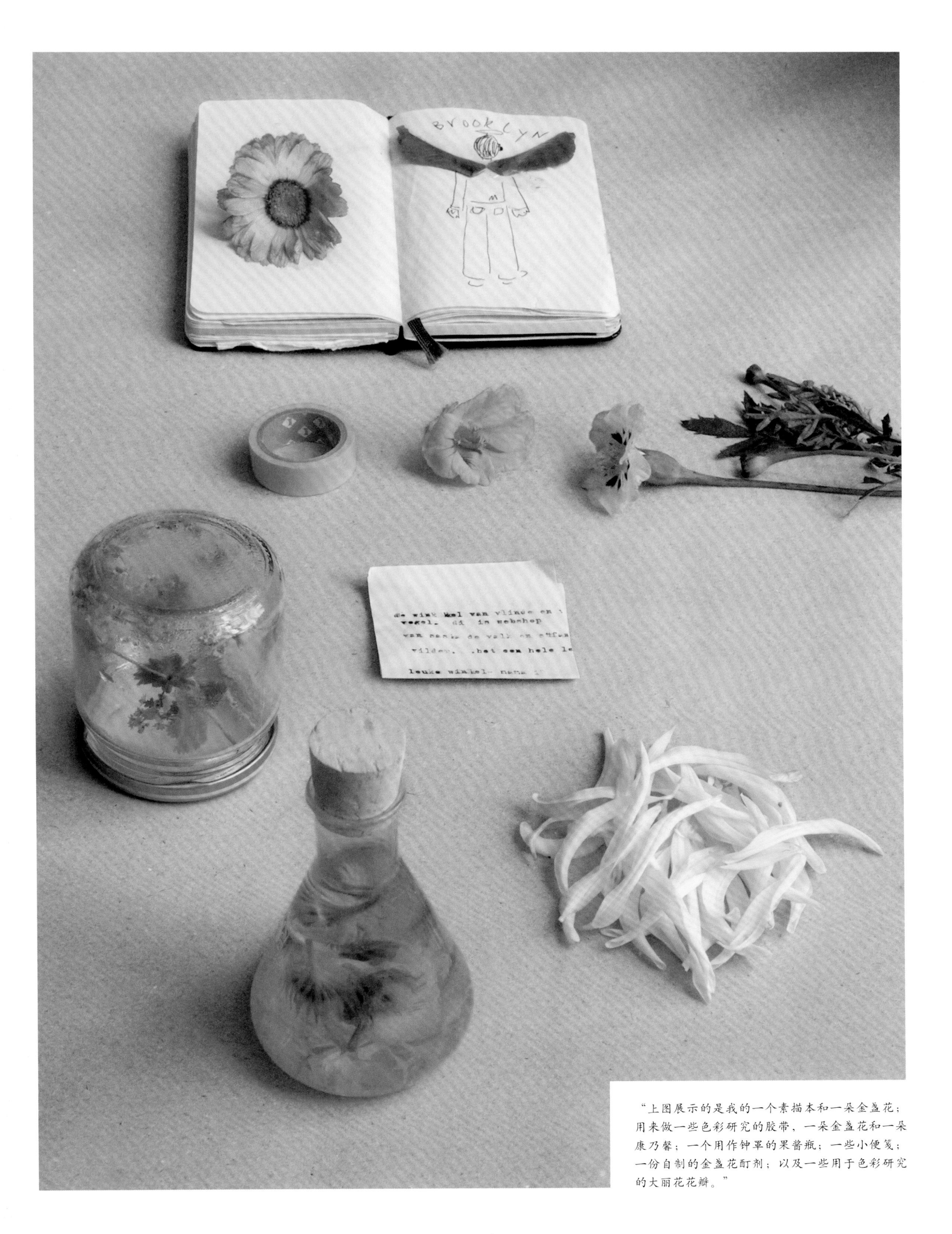

“上图展示的是我的一个素描本和一朵金盏花；用来做一些色彩研究的胶带，一朵金盏花和一朵康乃馨；一个用作钟罩的果酱瓶；一些小便笺；一份自制的金盏花酊剂；以及一些用于色彩研究的大丽花花瓣。”

“对页图中的《温室里的白色波斯菊和轮锋菊的静物照》，是一朵明亮简约的花在美得最纯粹的时候被拍摄下来。左图是有机花的设计作品，莳萝、天竺葵、玫瑰和金盏花等都在盛春之际的田野里被精心挑选出来。下图是一个通过设计光线、空间和明亮度的花桌布景。给鲜花最好的平台，以展示它们各自的形状和颜色。”

“简单、耐用和美丽都可以结合在一起。在冬天，我主要用树枝和‘静物’作景。在夏天，我可以载着一车满是芳香的花朵，从当地的有机农场开车回家，我用它们来创造一些美丽的东西，和别人分享我的快乐。”

“在夏天，我从我们的有机花园收获鲜花，主要是大丽花。我觉得此时自己很接近大自然，很接近它的气味和宁静的声音。对页图是‘大丽花静物摄影’，为《ELLE装饰》杂志而做，描述了一种物体与一朵花之间的爱情。”

SEAN COOK
MR.COOK

肖恩·库克：库克先生

澳大利亚

当油彩滴到纸上，淡开一块抽象的斑点，此刻是具有魔幻力量的。而那只是库克先生的名片上的标识。库克先生在悉尼双湾开设的花店更是迷人。一部分现代，一部分乡村。一座摆满了异国鲜花的奢华花架，和一个可以拆分的木制长凳，可以根据店里的空间和氛围而调整。主人肖恩·库克把他对花的迷恋归功于他的祖母。“在她那满是蕨类植物和兰花的房子里，长椅和墙壁上没有多余的空间”，他回忆道，“她还有一个漂亮的花园。”而肖恩自身的美学天赋也是十分过人的。“我所有的朋友都会告诉你，我喜欢一点点粉色，从荧光粉到晕红各种色调都喜欢。我还沉迷于各种香味，尤其是晚香玉、栀子花和楼斗花，它们在这里很稀缺。”他的第一份工作是作为一名视觉陈列师，为一个展览设计公司工作。这给他积累了许多物流和产品管理方面的经验，但“直到我在‘玉兰工作室’和萨斯基亚·哈沃克斯一起工作时，我才真正意识到我想做什么。”肖恩承接的第一个大项目是在澳洲斯雷德博市深冬里为一个五十岁的人举办生日派对做花艺设计。“客户唯一的要求是要布置得阳刚一些”，他回忆道。该项目设计动用装满了材料的两辆大卡车以及一辆坐满花匠的面包车。“我们用从金德拜恩湖进来的流木，在天幕顶上悬挂了一条‘河’，上面连接着橙色的山龙眼，然后还做了一些其他的大型布景。”虽然准备了三天，但客户欣喜若狂。现在，经过近二十年的经营，肖恩以他的大胆喷张、兼收并蓄、色彩鲜艳的作品闻名于世，并且同时跟供应商和客户建立了强大而紧密的关系。“新娘和她们的母亲看到我为她们做的新娘手捧花时，都会高兴得哭起来”，他感叹道。不管这是不是你的大喜日子，肖恩的工作一定会给你带来惊喜。

www.mrcook.com.au

“我们在‘Elements I Love’——我最爱的悉尼花店——里拍摄了这个花景。我找来了这些令人惊艳的玻璃门。我和我的摄影师同时决定，在玻璃门的每一边都做一个花景。大丽花正值当季，所以我就有了想要增加点秋天气息的想法，通过颜色一边强烈而另一边暗淡的风格来体现。我喜欢大量绿色植物的质感，所以用了绿苋、紫背天葵、紫珠和温柏等。我还带来了我养的鹦鹉‘雨果’（见上图），因为我认为它的颜色会和秋天的绣球花很搭。它是个非常好的小模特儿！”

“我的风格反映在我的作品里、家里和商店里。我喜欢通过色调和谐的花景和不同质感与分层来增强花的自然形态。我的灵感随着我喜欢所有事物——从我店里老旧风化的俄勒冈木到光泽亮丽的戴尔·弗兰克（Dale Frank）的绘画——四溢出去。”

TRACEY DEEP
FLORAL SCULPTURES
翠茜·迪普：花卉雕刻

澳大利亚

嫩芽、粗枝和豆荚被金属丝网和其他工业废料缝合到了一起，而这一过程把常常容易被忽略的自然元素变成艺术品的主角。这是个从废料中抢救的过程，是个在被丢弃的腐烂和遗忘中挖掘美的过程。翠茜·迪普刚好是一名以自然为媒介的艺术家。事实上，她善于利用澳洲本土植物的能力，使她所有的作品都更加引人注目，如与本土原著民的精神世界产生共鸣。翠茜尤其热衷于渲染纹理、形状和颜色，她说："我试图创造出视觉平衡的，让人赏心悦目的东西。我喜欢把干花放在新花上，通过一种特别的反差来创造出一种和谐的状态。最重要的是，我增加了一些动感，以增强作品的能量和活力。"正因为翠茜掌握着自然这种媒介，所以她的作品还在不断进化。"我已经创作了几十年的雕塑，现在我开始享受有机植物和工业元素的结合了"，她解释道，"我被那些看起来是有机的，但实际上是工业制作的，而且通常有另一种生命形态的东西所深深吸引。把旧物改造成新事物，启发和充实着我的灵魂。"翠茜几乎不停顿地说道，"我是一个非常热情、崇高和深情的人，而且我和大自然母亲有着一种非常特殊的联系。我是一个真正的树木爱好者和树木拥抱者。我认为它们闪耀在我的作品中，给人一种想要被吸引，被以某种方式而感动的特殊品质。"她工作室里的花架和容器里摆满了有机的花卉和还在设计中的花景。她让花发声，并坚持以一种始终受大自然图案所激励的即兴造型。这出现了吊挂式或自由站立式的雕塑造型，它们赋予工作室以繁复之感——类似于集中的重新组合的澳大利亚灌木丛。

floralsculptures@bigpond.com

www.instagram.com/floralsculptures

“我的展览《灵魂》的灵感来自于一次乌卢鲁巨石和卡塔丘塔的旅行，巨大的风化岩层在极端的温度条件下得以幸存，并且每个时刻和角度都变换着颜色。我的精神被这些土著人民视为圣地的美丽和和平所感动。我在寂静的、巨大的、对比度强烈的色彩区间里中发现了如此多之美丽，它启发了我的展览，让我将有机植物和工业原料，重新加工和改造成全新的东西。”

“对页图的作品是我的展品《梦想》，它是用缎花的茎做成的。这部作品主要是想做一个关于明亮度的设计。我用了各种半透明的材料，呈现出魔幻般的魅力。我喜欢纤嫩树枝的木质纹理，娇弱种子的色泽，自然的泥土色调，以及这件作品展现出的怪诞、顽皮、梦幻般的特质，阴影也增加了这件作品自然的印记。上图的作品，我的想法是将回收的工业废料，比如建筑工地里废弃的生锈钢材，以及从垃圾填埋场回收的包装纸，与天然有机植物结合起来，为它们注入新的生命。我试图让我的作品舞动起来。通过配上比如凤凰木的树荚和结籽或风干的棕榈树的树叶以及椰子纤维，旨在强调大自然母亲永恒的生命轮回之美。”

“我的工作室在雷德芬市，通过年复一年，日复一日地从花卉市场觅得的鲜花和从特殊渠道购买的珍奇物品作为花艺的原料。不寻常的豆荚，甜美的叶子，富有体量感的多肉植物都扮演着一个个启发性的角色。我喜欢尝试纹理、形态、色彩的各种组合。”

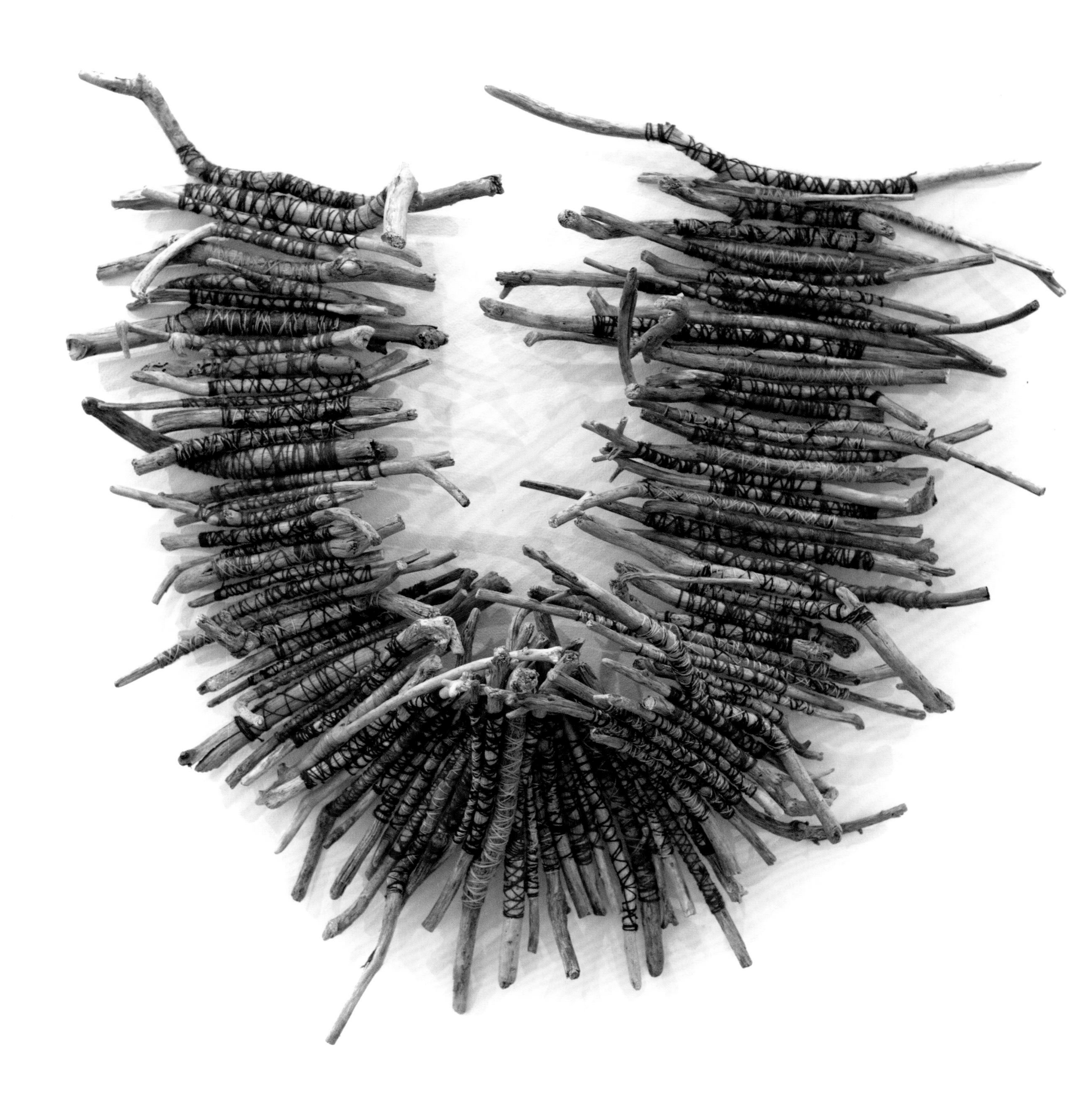

“对页图是我前文提到的《灵魂》展览中的《树魂》作品。这个作品的灵感来自于槐桉树自然的纹路。我用棉线在流木上缝制这种图案，手工编织成相应的形状，然后把它们如神圣的祭品般挂上，以庆祝大自然母亲的美。多亏了一位慷慨的私人收藏家，现在它挂在一家母子中心，让所有的母亲和她们的新生儿都能欣赏得到。下图的作品基于我在路边捡到的一颗被丢弃的植物。我找了一些生锈的电线把这些材料固定在一起。为了表达我对海底世界的热爱，我回收了风暴过后被冲上岸的珊瑚和海绵。再加上些多肉的叶子，以创造出动感且有深邃的大型作品。”

“驱使我不断前进的是发现新事物时不变的好奇心，无论是活生生的有机材料，还是干涸枯萎的生命，花艺创作的整个过程都透露着我对大自然之美的赞叹和它带给我的无穷无尽的灵感。”

花艺师

阿莱克珊德拉·舒茨
www.facebook.com/pages/
Aleksandra/142269745805357
www.instagram.com/aleksandradiary

艾米·梅里克
www.flickr.com/photos/
emersonmerrick
www.twitter.com/emersonmerrick

安德利亚斯·沃尔海延
www.facebook.com/pages/
Andreas-Verheijen-flower-
engineer/152884198081933

安娜·戴伊和艾莉·乔恩西：
花卉鉴赏协会
www.facebook.com/pages/
The-Flower-Appreciation-
Society/255664854499032
www.instagram.com/Flowersociety
www.twitter.com/flowersociety

艾瑞尔·戴瑞：
艾瑞尔·戴瑞同名花展
www.facebook.com/pages/
Ariel-Dearie-Flowers/
134129969996700
www.instagram.com/
arieldearieflowers
www.twitter.com/ArielDearie

东信康仁
www.facebook.com/MakotoAzuma
www.twitter.com/azumamakoto

B

巴普蒂斯特·比图
4, rue de l'Abbé Grégoire,
75006 Paris, France
Tel +33 (0) 1 42 84 19 08

比昂·克朗
www.facebook.com/bjorn.kroner
www.facebook.com/jungewilde

C

凯利斯·霍恩和
梵妮莎·帕特里奇：
夏枯草
www.facebook.com/pages/
Prunella/230779116962857
www.instagram.com/prunellaflowers
www.pinterest.com/prunellaflowers
www.twitter.com/Prunellaflowers
工作室地址（婚庆与展会业务）以及圣诞节、母亲节期间的临时商店，
以及花艺教室：
175-177 Mollison Street,
Kyneton 3444,
VIC, Australia
Tel +61 (0) 416 296 433

克拉莉丝·碧劳：
梵图妮工作室
www.facebook.com/
clarisse.beraud.vertumne
www.facebook.com/pages/
Agence-de-stylisme-floral-
Vertumne/150627495001894
12, rue de la Sourdière,
75001 Paris, France
Tel +33 (0) 1 42 86 06 76

D

武田团：
武田团花艺与设计工作室
www.facebook.com/pages/Dan-Takeda-
Flower-Design/182770601927326

丽莎·库珀博士
www.facebook.com/pages/
Doctor-Cooper-Studio/
601947553163615
www.instagram.com/doctorcooper

E

艾米丽·汤普森：
艾米丽·汤普森工作室
www.facebook.com/
EmilyThompsonFlowers
www.instagram.com/
emilythompsonflowers

艾琳·班哲克因和她一家：
小花
www.facebook.com/erin.benzakein
www.flickr.com/photos/floretflowers
www.instagram.com/floretflower
www.pinterest.com/floretflwrfarm
www.twitter.com/FloretFlwrFarm

G

吉尔特·吉亚雷伊：
安东尼洛
24A Skoufa Street, Athens, 10673, Greece
Tel +30 21 0360 8969

H

哈里延多·塞蒂亚万：
波恩加
www.facebook.com/boengaflowers

海科·布鲁埃尔
Grüneburgweg 88, 60323
Frankfurt am Main, Germany
Tel +49 (0) 69/91 50 88 11

海伦娜·露娜德莉：
海伦娜·露娜德莉工作室
www.facebook.com/FlorGentil
www.flickr.com/photos/
atelierhelenalunardelli
www.instagram.com/helenalunardelli

霍莉·维瑟奇和
瑞贝卡·奥赫特曼：
冬青
www.facebook.com/HollyfloraLA
www.instagram.com/hollyflorala
www.twitter.com/hollyflora

I

伊莎贝尔·玛丽亚斯：
伊丽莎白花艺
www.facebook.com/pages/
Elisabeth-Blumen/197255316971840
www.instagram.com/elisabethblumen

J

琼安·萨贝莉：
波奈的花卉
www.facebook.com/flowersbybornay
www.flowersbybornay.tumblr.com

K

凯莉·埃利斯：
麦昆花艺
www.facebook.com/McQueensflowers
www.flickr.com/photos/
mcqueensflowers
www.instagram.com/mcqueensflowers
www.twitter.com/mcqueensflowers
70–72 Old Street, The City,
London EC1V 9AJ, UK
Tel +44 (0) 20 7251 5505

克莉丝汀·凯西：
月亮峡谷花艺设计
www.facebook.com/pages/
Moon-Canyon-Design-Co/
180081525414870
www.instagram.com/mooncanyon
www.pinterest.com/mooncanyon
www.twitter.com/MoonCanyon

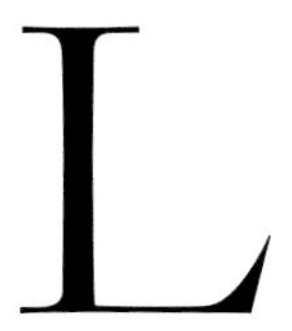

L

林赛·布朗：
林赛·米拉和她的小花田
www.facebook.com/
TheUrbanFlowerFarm
www.flickr.com/people/lindseymyra
www.instagram.com/lindseymyra
www.pinterest.com/lindseymyra

洛特·罗森：
洛特与盛开的花
www.facebook.com/lotte.bloom
www.flickr.com/photos/lotteandbloom
www.instagram.com/lotteandbloom
www.twitter.com/lotteandbloom

露西娅·米兰
www.facebook.com/pages/Lucia-Milan-Design-Floral/298966546828513
www.instagram.com/luciamilan

马丁·雷尼克
www.facebook.com/Blomsterskuret
Værnedamsvej 3A, 1819
Frederiksberg C, Denmark
Tel +45 33 21 62 22

毛利斯·哈里斯:
绽放与羽毛
www.bloomandplume.tumblr.com
www.facebook.com/BloomandPlume
www.instagram.com/bloomandplume

细沼光则:
花广
www.facebook.com/mitsunori.hosonuma
www.facebook.com/pages/Hanahiro
Hanahiro-CQ/342306172521058
门店一览:
www.hanahiro.jp/c50.htm

摩根·佩洛斯:
山谷鲜花公司
www.facebook.com/valleyflowercompany
www.instagram.com/valleyflowerco
www.pinterest.com/valleyflowerco
www.twitter.com/valleyflowerco

娜兹宁·贾汗季:
蜻蜓
c/o Le Mill,
17–25 Nandlal Jani Road,
next to Wadi Bunder
New Railway Bridge,
Wadi Bunder (East), Mumbai, India
店铺电话:+91 98 70955128
办公室电话:+91 22 22853033

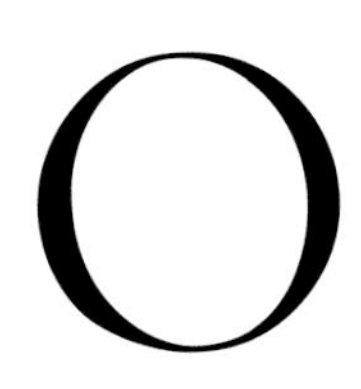

奥利弗·费切兰
www.facebook.com/oliver.ferchland.3

R

瑞贝卡·路易斯·劳尔
www.twitter.com/RebeccaLLaw

S

莎拉·约翰逊
www.facebook.com/personliga.blomster
www.instagram.com/blomsterbrittan

莎拉·温沃尔德:
千花之蜜
www.facebook.com/pages/Honey-of-a-Thousand-Flowers-Sarah-Winward/134125279997651
www.instagram.com/sarah_winward
www.pinterest.com/sarahwinward
www.twitter.com/sarah_winward

萨斯基亚·德·沃克:
蝴蝶与鸟
www.facebook.com/vlinderenvogel

肖恩·库克:
库克先生
www.facebook.com/MrCookFlowers
www.instagram.com/mrcookflowers
318 New South Head Road,
Double Bay, Sydney,
NSW 2028, Australia
Tel +61 (0) 2 9363 5550

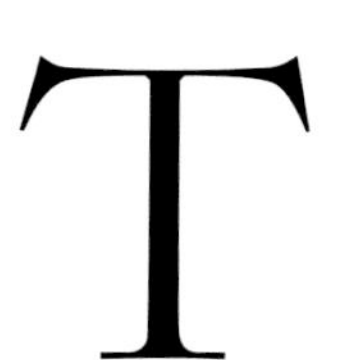

莘茜·迪普:
花卉雕塑
www.instagram.com/floralsculptures
Studio G01, 59 Great Buckingham Street,
Redfern, Sydney, NSW 2016, Australia
Tel +61 (0) 2 9326 9014

图片出处说明

p.2: 东信康仁‘折叠的树叶’系列作品的枝叶和工具（见 p.46 ~ 49）摄影：椎木俊介 TOUNOKI Co., Ltd.

p.7: 武田团花艺设计的作品细节，作者武田团（见 p.97）摄影：凯撒制片 (www.caesarproduction.com).

阿莱克珊德拉·舒茨：p.9,12,13：摄影：翠茜·李 / Tealilyphotography (www.tealilyphotography.com); p. 10,11, 以及 p.284 的肖像：路易莎·布林布尔 (www.luisabrimble.com);p.14 由瑞贝卡·乔瓦诺娃 (www.samanthawills.com) 制作，摄影：斯科特埃勒 (www.scottehler. com);p.15 由阿莱克珊德拉·舒茨本人制作。

艾米·梅里克：p.16,17 和 p.284 的肖像由阿曼达·哈坎拍摄 (www.amandahakan.com);p.18，19，20，21 由艾米·梅里克本人亲自提供。

安德利亚斯·沃尔海延
p.22 由安德利亚斯沃尔海延亲自提供；p.23 由扬·威廉姆·卡尔登巴赫拍摄 (www.jwkaldenbach.com); p.24，25 由文德恩·丹拍摄（www.wendeliendaan.nl）。

安娜·戴伊 和 艾莉·乔恩西 / 花卉鉴赏协会：所有照片都由安娜·戴伊 和 艾莉·乔恩西，花卉鉴赏协会亲自提供。

艾瑞尔·戴瑞 / 艾瑞尔·戴瑞同名花艺：p.34，35 以及 p.284 的肖像由布莱斯·康威拍摄 (www. brycecoveyphotography.com);p.36，37，38，39 由艾瑞尔戴瑞，艾瑞尔·戴瑞花艺亲自提供。

东信康仁：所有照片由椎木俊介拍摄 TOUNOKI Co., Ltd.

巴普蒂斯特·比图：所有照片由尼尔斯·斯托登伯格拍摄 (www.nielsstoltenborg.com).

比昂·克朗 所有照片由彼得·约翰·基亚什考斯基拍摄 (www.pjk-atelier.de).

凯利斯·霍恩 和 梵妮莎·帕特里奇 / 夏枯草：p.80，81 由赛蒙·格里夫斯拍摄（www.simongriffiths.com.au）;p.82,83 和 p.284 的肖像由艾琳·尼尔和塔拉·皮尔斯拍摄 (www.erinandtara.com.au); p.84，85 由杰西·西斯科拍摄 (www.jessehisco.com.au); p.86，87 由法拉·阿兰拍摄 (www.farrahallan.com)

克拉莉丝·碧劳 / 梵图妮工作室
p.89，92，93 和 p284 的肖像由克拉莉丝·碧劳 / 梵图妮工作室亲自提供
p.90 ~ 91 由帕斯卡·鲍威尔拍摄 (www.pascalbaudrier.book.fr).

武田团 / 武田团花艺与设计工作室：
所有照片都由凯撒制片拍摄（http://www.caesarproduction.com）

丽莎·库珀博士
p.102 ~ 103 爱丽莎·郭卡拍摄 p.104 ~ 105 由凯丽·考兹拍摄 (www.kyliecoutts.com)，造型师是来自 2c 艺术家管理公司的乔里昂·曼森，发型师是 M.A.P 的珍妮·金，模特：伦敦管理公司的尼克·霍尔，一开始发表于《Manuscript》杂志，专栏 2；p.106，107，108，109 由罗宾·海菲尔德拍摄，p.284 的肖像由约书亚·海尔斯拍摄 (www.joshuaheath.net).

艾米丽·汤普森 / 艾米丽·汤普森工作室
p.110 ~ 111 由约什·马利安那利摄影公司拍摄 (www.joshmarianelli.com)；
p.112 ~ 113 以及 116 是由索菲亚·门内罗 - 邦奇拍摄 (www.sophiamorenobunge. com); p.114，115，117 由艾米丽·汤普森 / 艾米丽·汤普森花店亲自提供；p.284 的肖像来自玛丽亚·罗布雷多 (www.judycasey.com/ photographers/maria-robledo).

艾琳·班哲克因和她一家 / 小花：所有照片由艾琳·班哲克因和她一家 / 小花亲自提供。

吉尔特·吉亚雷伊 / 安东尼洛：所有照片由马诺斯·斯帕诺斯拍摄 (www.manosspanosphotographics.tumblr.com).

哈里延多·塞蒂亚万 / 波恩加：所有照片由哈里延多·塞蒂亚万，波恩加亲自提供。

海科·布鲁埃尔：所有照片由蒂尔·鲁斯拍摄 (www.tillroos.de).

海伦娜·露娜德莉 / 海伦娜·露娜德莉工作室：
p.145 以及 148 ~ 149 由法比奥·里贝罗拍摄 (compotaonline. com.br);
p.146 ~ 147 由小吉尔贝托·奥利维拉的工作室拍摄 (www.oh-images.com.br);
p.285 的肖像由古尔赫米·莫瑞丽拍摄 (www.guimorelli. com.br).

霍莉·维瑟奇和瑞贝卡·奥赫特曼 / 冬青：所有照片由南西·尼尔照摄影公司拍摄 (www. nancyneil.com).

伊莎贝尔·玛丽亚斯 / 伊丽莎白花艺：
p.157，160，161 由伊莎贝尔·玛丽亚斯 / 伊丽莎白花艺亲自提供；
p.158，159 由朱莉亚·罗莫·朱诺拍摄 (www.junoproducciones.com);
p.285 的肖像由劳尔·库多巴·扎摩拉诺拍摄 (www.raulcordobaphotography.com).

琼安·萨贝莉 / 波奈的花卉：
p.162，163，164，165，167 和 p.285 的肖像由马萨尔摄影公司拍摄 (www. marssal.net); p.166 以及 168，169 由琼安·萨贝莉 / 波奈花卉亲自提供。

凯莉·埃利斯 / 麦昆花艺：
p.170 ~ 174 以及 p.285 的肖像由麦昆的凯莉·埃利斯亲自提供，p.175 由迈宝瑞提供 (www.mulberry.com).

克莉丝汀·凯西 / 月亮峡谷花艺设计：所有照片由金伯利·吉纳维夫拍摄 (www.kimberlygenevieve.com).

林赛·布朗 / 林赛·米拉和她的小花田：所有照片由林赛·布朗 / 林赛·米拉和小花田亲自提供。

洛特·罗森 / 洛特与盛开的花：所有照片由洛特·罗森 / 洛特与盛开的花亲自提供，除了 p.285 的肖像由卡拉·福布斯拍摄 (www.lillianandleonard.com)
露西娅·米兰：p196，197 由亚历山大·皮拉尼拍摄 (www.apiranifotos.blogspot.com)；p198 ~ 201 由朱莉亚·里贝罗拍摄 (www.juliaribeiro.net)；p286 的肖像由加布里埃尔·米兰拍摄。

马丁·雷尼克：所有照片由萨拉·林贝克拍摄 (www.saralindback.dk)

毛利斯·哈里斯 / 绽放与羽毛：所有照片由泰森·菲兹杰拉德拍摄 (www.tysonfitzgerald.com).

细沼光则 / 花广：p214，215，218，219 是由藤本健一拍摄的。P216，217 是由细沼光则 / 花广亲自提供的。P286 的肖像是由原绘里女士拍摄的。

摩根·佩洛斯 / 山谷鲜花公司：
P220，221，224，225，226，227 以及 286 的肖像都是由泰勒·K·龙拍摄的；P222，223 是由迈克尔·托曼拍摄的 (www.michael-tallman.com).

娜兹宁·贾汗季 / 蜻蜓：所有照片都是由娜兹宁·贾汗季 / 蜻蜓亲自提供的。

奥利弗·费切兰：所有的照片都是由安德利亚斯·格鲁纳拍摄的 (Info@andreasgruner.com).

瑞贝卡·路易斯·劳尔：p.245 和 247 是由瑞贝卡·路易斯·劳尔亲自提供的；（摄影师：费·诺曼）p.246 和 247 也是由瑞贝卡路易斯劳尔亲自拍摄的；p.248 和 249 以及 286 的肖像是由瑞贝卡·路易斯·劳尔的摄影师尼古拉·特里提供的 (www. nicolatree.com).

莎拉·约翰逊：所有的照片都是由丹尼尔·林德伯格提供的 (www.gudali.se/www.gudali.wordpress.com).

莎拉·温沃尔德 / 千花之蜜：p.257，262，263 以及 p.286 的肖像是由里欧·帕特洛尼拍摄的 (www.leopatronephotography.com)；p.258，259，260，261 是由莎拉·温沃尔德 / 千花之蜜亲自提供的。

萨斯基亚·德·沃克 / 蝴蝶与鸟：p.264 是由萨斯基亚·德·沃克：蝴蝶与鸟亲自提供的。p.265，268，269 以及 p.286 的肖像是由米蕾拉·萨赫塔比工作室提供的 (www.mirellasahetapy.com) p.266 和 267 是由吉克·哈根斯拍摄的 (www.wijzijnkees.nl).

肖恩·库克 / 库克先生：所有照片都是由安德鲁·赫曼拍摄的 (www.andrewlehmann.com).

翠茜·迪普 / 花卉雕刻：所有照片都是由尼古拉斯·瓦特拍摄的。(www.nicholaswatt.com).
p.288 的照片是由金伯利·吉纳维夫拍摄的 (www.kimberlygenevieve.com).

致　谢：

本书中的花艺设计师们以其伟大的天赋，通过一个又一个作品向我们展示了比大自然原本美得多的东西。感谢本书的设计师比安卡·温特（Bianca Wendt），他完美地设计出了这样一本视觉效果极其迷人的书籍。我还要感谢我的出版商以及那些以各种方式帮助我完成此作品的人们。最后，我还要感谢大自然母亲，感谢她提供如此美丽的植物。

关于作者：

奥利维尔·杜邦（Olivier Dupon）是生活方式和时尚领域的专家，他最开始在迪奥（Christian Dior）工作，之后成为多家奢侈品的买手和项目经理，同时也拓展国际市场业务。他在博客www.Dossier37.tumblr.com中分享各种设计品、艺术工艺品。他曾出版过《新工匠》【2011年由泰晤士哈德逊（Thames & Hudson）出版社出版】、《新珠宝商》（2012年）、《新甜品》（2013年）、《新工匠》续集（2015年）。

图书在版编目(CIP)数据

花艺的复兴 ：全球38位设计师的灵感与杰作 / （英）奥利维尔·杜邦（Olivier Dupon）著；金言译. -- 武汉 ：华中科技大学出版社，2018.12
ISBN 978-7-5680-4634-3

Ⅰ. ①花… Ⅱ. ①奥… ②金… Ⅲ. ①花卉装饰－装饰美术－设计 Ⅳ. ①J525.12

中国版本图书馆CIP数据核字(2018)第228092号

Published by arrangement with Thames & Hudson Ltd, London

Designed by Bianca Wendt Studio

简体中文版由 Thames & Hudson Ltd 授权华中科技大学出版社有限责任公司在中华人民共和国境内（但不含香港、澳门和台湾地区）出版、发行。
湖北省版权局著作权合同登记　图字：17-2018-168 号

Arrangement inspired by the Kyoto Gardens, Japan, by Dan Takeda of Dan Takeda Flower & Design (see page 95). Photo by Caesar Production: www.caesarproduction.com

花艺的复兴：全球38位设计师的灵感与杰作
HUAYI DE FUXING : QUANQIU 38 WEI SHEJISHI DE LINGGAN YU JIEZUO
[英] 奥利维尔·杜邦　著　金言　译

出版发行：华中科技大学出版社（中国·武汉）　电话：(027) 81321913
北京有书至美文化传媒有限公司　(010) 67326910-6023
出 版 人：阮海洪　邮编：430223

责任编辑：莽　昱　张丹妮
责任监印：徐　露　郑红红　封面设计：锦绣艺彩·苗洁

制　作：北京金彩恒通数码图文设计有限公司
印　刷：中华商务联合印刷（广东）有限公司
开　本：635mm×965mm 1/8　印张：36　字数：50千字
版　次：2018年12月第1版第1次印刷
定　价：228.00元

华中科技
本书若有印装质量问题，请向出版社营销中心调换
全国免费服务热线：400-6679-118 竭诚为您服务

单株玫瑰的近景，由月亮峡谷花艺的克莉丝汀·凯西（见p.176～183页）拍摄。